JN096330

これで合格

公務員合格ゼミ

学校法人 公務員ゼミナール
三森　正啓 編著

数的推理
（数的処理）

いいずな書店

まえがき

　昨今、働きがいのある職業として、また安定した職業として公務員が脚光を浴びています。特に、若者の非正規雇用の増加や格差の拡大が進行するなかで、自らの努力によってその身分が得られる公務員の人気は根強いものがあります。しかし一方、公務員の人員削減が進行する中で、その門はやはり狭いと言わざるを得ません。

　では、そのような難関をくぐり抜けるには、どのような勉強をしたらよいのか？

　これは公務員を希望する人に共通の悩みでしょう。実際、公務員試験をみると、あらゆる科目のあらゆる分野から出題されているように思え、どこから勉強の手をつけてよいか途方にくれてしまうかも知れません。

　本書はそのような悩みを持つ人への一助となるべく作られたものです。私たちは長年、公務員希望者を直接指導するなかで、受験生にとって最も効率よく、またわかりやすい勉強方法を追求してきました。本書にはその成果がふんだんに盛り込まれています。

　たとえば、各教科の内容は必要最低限のものにしぼり込まれていますが、これは長年、本試験の出題傾向を分析した結果に基づいています。また、解説は受験生の弱点・盲点を把握した上で書かれているため、類書にない懇切丁寧なものとなっています。

　どこを、どのように勉強すればよいのか——そう思ったら、本書を使ってみて下さい。最も確実な答えがそこにあるはずです。

　皆さんが本書を活用されて、合格の栄冠を勝ち取られることを願ってやみません。

公務員ゼミナール講師陣

公務員試験のなかみ

高卒程度・初級試験

	試験の種類	事務系	技術系	体力系	主な内容
一次試験	教養試験(基礎能力試験)五肢択一	◎	◎	◎	次頁に詳細。
	適性試験(事務適性検査)五肢択一	○	×	×	120題15分(国家公務員)、100題10分(地方公務員)など。簡単な計算や図形の正誤、文章や記号の比較などの問題。短時間にできるだけ多く解答することが求められる。実施しない県・市町村もある。
	専門試験五肢択一	×	◎	×	40題100～120分、30題90分など。「土木」「建築」「電気」など、募集区分に対する専門試験。
二次試験	体力試験	×	×	◎	受験先により内容が異なる。一次試験で実施する場合もある。
	作文試験	◎	○	○	50分で600字程度、60分で800～1200字程度など。一次試験で実施しても、二次試験の際に評価される場合が多い。
	面接試験	◎	◎	◎	個別面接が主流。集団面接(数名の受験者をまとめて面接)や集団討論(受験者同士が、与えられた課題について議論する)を実施することもある。

大卒程度・中上級試験

	試験の種類	事務系	事務系以外	体力系	主な内容
一次試験	教養試験(基礎能力試験)五肢択一	◎	◎	◎	次頁に詳細。
	専門試験五肢択一	◎	◎	×	40題120～180分など。事務系は、「法律」「経済」「行政」から出題される。それ以外は、募集区分に対する専門試験。一部の市町村では実施されない。
	適性試験(事務適性検査)五肢択一	△	×	×	一部の市町村で実施。100題10分。簡単な計算や図形の正誤、文章や記号の比較などの問題。短時間にできるだけ多く解答することが求められる。
二次試験	体力試験	×	×	◎	受験先により内容が異なる。一次試験で実施する場合もある。
	論文試験	◎	◎	◎	60～120分で600～1600字程度。一次試験で実施する場合もある。
	面接試験	◎	◎	◎	個別面接が主流。集団面接(数名の受験者をまとめて面接)や集団討論(受験者同士が、与えられた課題について議論する)を実施することもある。

教養試験の出題内訳

高卒程度・初級試験

		総出題数 (解答時間)	数的推理 (数的処理)	判断推理 (課題処理)	社　　会	国語・英語	理　　科
国家公務員	国家一般 税務職 海上保安官 刑務官	40題 (90分)	7題	7題	11題	11題	4題
国家公務員	裁判所一般	45題 (100分)	13題	4題	14題	10題	4題
地方公務員	県職 警察官	50題 (120～150分)	9題	8題	14題	13題	6題
地方公務員	市町村職 消防官 (Standard)注4	40題 (120分)	8題	7題	14題	6題	5題

大卒程度・中上級試験

		総出題数 (解答時間)	数的推理 (数的処理)	判断推理 (課題処理)	社　　会	国語・英語	理　　科
国家公務員	国家一般 国税専門官	40題 (140分)	9題	7題	10題	11題	3題
国家公務員	裁判所一般	40題 (180分)	9題	7題	10題	11題	3題
地方公務員	県職 警察官	50題 (150分)	8題	9題	18題	9題	6題
地方公務員	市町村職 消防官 (Standard)注4	40題 (120分)	7題	8題	14題	6題	5題

注1　分野ごとの出題数は年度によって若干異なります。
注2　大学生・大学卒業者でも、受験可能な高卒・初級程度の試験があります（刑務官、海上保安官など）
注3　一般的な出題内訳は、以上の通りです。なお、これ以外のパターンもありますので、受験する試験の受験案内をご確認ください。
注4　市町村・消防官の教養試験は、Standard（標準タイプ）・Logical（知能重視タイプ）・Light（基礎力タイプ）の3タイプが施行されています。上表ではStandardの出題内訳を掲載しています。Logicalの総出題数・解答時間はStandardと同じですが、Lightは60題・75分です。自治体や職種によってタイプが異なることもありますので、受験案内等でご確認ください。詳細につきましては、日本人事試験研究センターのhttp://www.njskc.or.jp/ をご参照ください。

合格のための勉強法

①教養合格ラインは6～7割

　これだけたくさんの出題分野を「すべて完璧に」勉強するのは、誰にもできないことです。そのため合格点はあまり高くなく、問題の難易度にもよりますが、難関といわれる試験で7割程度、ふつうは6割程度です。

②やさしい問題、よくでる問題を集中的に

　難しい問題も1点、簡単な問題も1点です。難しい問題は、それがわかるようになるための勉強時間も膨大なものになりますし、本番でも解く時間がかかります（1題に5分以上かけていては他の問題を解く時間がなくなる！）。

　資格試験（基準点をこえないと合格しない）ではなく、競争試験（他の人より1点でも高ければ合格する）ですから、みんなが解けない難問は自分も解けなくてよいのです。

　みんなが解ける問題を自分も確実に解くこと、これが公務員試験対策の基本です。公務員合格ゼミシリーズは、難問を思い切って省略し、合格のために必要な問題のみを選びぬいて掲載しています。

③「学校で習わない」出題数の多い数系でまず得点

　公務員試験独特の分野である「数的推理（数的処理）」「判断推理（課題処理）」「資料解釈」は、学校では習わない教科で、一番とまどう問題です。公務員合格ゼミシリーズ『数的推理』『判断推理』を使って、解法パターンをマスターすることが大切です。例題で解き方の基本を押さえ、演習を繰り返し解いて、「この問題はこの解き方だ！」とすぐにひらめくようにしましょう。

　この分野は、出題数も多く、ここで点をかせぐことが重要です。出題数の$\frac{2}{3}$程度が目標得点です。

④「捨て教科を作らない」知識系は広く浅く

　いくらある教科が得意でも、その教科の出題を必ず全問解けるようにするためには「高校の教科書をすみからすみまで」やる必要があります。そんな勉強をやるより、不得意教科の簡単な分野を勉強する方がはるかに勉強時間は少なくてすみます。

　数系以外の教科は、公務員合格ゼミシリーズ『社会』『理科』を使って、まず「まとめ」をノートなどに書いて覚えましょう。その上で演習を解いて、知識が定着しているかどうかを確かめていきます。

　特に高校を卒業してから時間がたっている方は、ここの分野をつい放置してしまいがちですが、理系であれば社会、文系であれば理科を特に意識して勉強していきましょう。

　捨て教科を作らず、どの教科も基本的な問題は必ず解けるようにします。出題数の$\frac{1}{2}$程度が目標得点です。

⑤いろんな過去問をやっておこう

公務員試験は、一部の例外を除いて、人事院及びその外郭団体が一括して作成しています。たくさんの問題を作成しなければならないため、数年前に他の職種で出題した問題に手を加えて出題することが多くみられます。

ですから、警察官志望だから警察官の過去問だけしかしない、というのは間違った考え方なのです（言い方を変えれば、警察官の試験にだけ出る問題というのもありません）。

また、中上級のベーシックな問題は、初級の問題とレベルは変わりません。大卒程度の試験を受ける場合は、まず、本書に掲載されたレベルの問題は確実に解けるようにしておきましょう。さまざまな過去問を多数こなせば、本番試験で同じ問題に出会うことも多くなります。

公務員合格ゼミシリーズは、そのような理由から過去問だけで構成しており、シリーズ全体で 900 題以上もの過去問を網羅しています。一度すべてを解いた人も、試験直前には、もう一度問題をやり直してみましょう。

◎出題頻度について

本書では、各項目の問題の出題頻度を星印の数で表示しています。

| 出題頻度 ★★★★ | 最頻出。繰り返し練習し、得点源にしてほしい。 |

| 出題頻度 ★★★ | 頻出。必ず理解・習得しておくべき。 |

| 出題頻度 ★★ | 標準。確実に合格するためには、ここまでは学習しておきたい。 |

| 出題頻度 ★ | 出題頻度は高くない。 |

● 目 次

I 数的推理

II 数的推理図形

I

数的推理

虫食い算

出題頻度　★★

例　題

$$
\begin{array}{r}
\text{B A 6} \\
+\ \ \text{A C} \\
\hline
\text{D D D}
\end{array}
\qquad
\begin{array}{r}
\text{E B 6} \\
+\text{F 6 B} \\
\hline
\text{F G F G}
\end{array}
$$

上の足し算式のＡの値として正しいのは次のうちどれか。
ただしＡ～Ｇは０～９までの異なる自然数とする。 　　　　　　［裁判所］

　1　3　　　2　5　　　3　7　　　4　8　　　5　9

解　説

　特徴あるところに注目して、一気に解くのがコツである。特徴あるところとは、「端っこ」「数字が多い桁」である。「繰り上がり」の有無も要注意である。2種類以上の数が入る可能性があれば、「使える数字」が何かを考えながら「場合分け」をする。

　【例題】では、右の式より

① 「端っこ」に注目して、「繰り上がり」が有るのでＦ＝1しかない。

② 「数字が多い桁」は2桁目で、Ｂ＝4が考えられる（Ｂ＝5の場合は1桁目より繰り上がりが生じ、Ｆ＝1に反するから不適）。

　この段階で、右記まで分かる。

$$
\begin{array}{r}
\text{4 A 6} \\
+\ \ \text{A C} \\
\hline
\text{D D D}
\end{array}
\qquad
\begin{array}{r}
\text{8 4 6} \\
+\text{1 6 4} \\
\hline
\text{1 0 1 0}
\end{array}
$$

　左の式より

③ 3桁目のＤは4（Ｂ）と異なるから、「繰り上がり」より5である。

④ 2桁目より、Ａ＝7（Ａ＝2の場合は3桁目に繰り上がりしないので不適）。

$$
\begin{array}{r}
\text{4 7 6} \\
+\ \ \text{7 9} \\
\hline
\text{5 5 5}
\end{array}
\qquad
\begin{array}{r}
\text{8 4 6} \\
+\text{1 6 4} \\
\hline
\text{1 0 1 0}
\end{array}
$$

正答……3

◀練 習▶ ●

次の①〜⑥について、A、B に入る可能性のある数字を答えよ。（ただし 1〜9。□には任意の数が入っている。）

①	②	③	④	⑤	⑥
□□	A	A	A	A	A
＋□□	A	B	× 4	× A	× A
A□□	＋ B	＋ C	B	B	B A
	5	□C			

演 習

1 AB＋B4＝CBC

上の A、B、C に 1 から 9 までの数字を入れて正しい計算式となるようにしたい。ただし同じ文字は同じ数字を、異なった文字は異なった数字を表すものとする。　　　　　　　　　　　　　　　　　　　　　［裁判所］

1　A は 5
2　B は 6
3　C は 2
4　A は一番大きな数
5　B は一番小さな数

2 次の足し算で A 〜 E のそれぞれは、1、3、5、8、9 の異なる数字である。D と C の和はいくらか。　　　　　　　　　　　　　　　　　　　　　　　［国家一般］

1　8	A B B
2　11	A 0
3　12	＋ 　C D
4　13	E 0 D C
5　14	

3 A～Cは、1～9までのうちの相異なる3つの数である。いま次の式が成り立つとき、A＋B＋Cはいくらか。 　　　　　　　　　　　[市町村]

1 16
2 17
3 18
4 19
5 20

```
    A B
    B C
  + C A
  ─────
  A B C
```

4 下のA～Fには、1～6のいずれかの数字が入る。6が入る文字はどれか。ただし、同じ数字は2度入らないものとする。 　　　　　　[警察官]

$$AB \times C = DEF$$

1 A
2 B
3 C
4 E
5 F

5 下のA～Cには、1～9のいずれかの数字が入る。A＋B＋Cはいくらか。 　　　　　　　　　　　[海上保安等]

1 11
2 12
3 13
4 14
5 15

```
        4 A 6
  ×       B C
  ───────────
    A 4 C C
    C 7 B
  ───────────
  1 B B 0 C
```

6 A〜Dは、A＜B＜C＜Dで1〜9の相異なる整数である。また、○、△、□は加減乗除のいずれか異なる演算を表している。いま、次のような関係がなりたっているとすると、D△C○B□Aの値はいくらか。 [市町村]

C△A＝10
D○A＝C
D□A＝C□B

1　21
2　24
3　27
4　30
5　33

7 A、B、C、D、E、F、Gは、それぞれ1から9までの間の異なった正の整数であり、これらの間には次のような関係がある。

A＋B＝G
B＋D＝E
B×C＝G
E×E＝F

以上のことから判断して、Dは次のうちどれか。 [裁判所]

1　1
2　2
3　3
4　4
5　5

魔方陣

出題頻度 ★★

例　題

図の 16 マスに 1 ～ 16 の互いに異なる数を当てはめて縦、横、斜めに並んだ四つの数の和がすべて等しくなるようにするとき図中の A と B に入る数の和はいくらか。　　　　　　　　　　　　　　　　　　　　[市町村]

1　12
2　13
3　14
4　15
5　16

13		12	1
2			14
3	A		
	5	B	4

解　説

　まず「対称の和」に注目する。「対称の和」とは、「魔方陣の中心点を対称にした 2 つの数字の和は、使われる数字の最初の数と最後の数の和に等しい」というものである。【例題】の場合「対称の和」は 1 ＋ 16 ＝ 17 である。

　次に「1 列の和」を求める。

$$1 \text{列の和} = \frac{\text{使われる全ての数の和}}{\text{列の数}}$$

でもよいが、もっと簡単に求めることができる。

　　　1 列の和＝「真ん中の数」×列の数

「真ん中の数」とは、使われる数字の真ん中の数をいう。【例題】では 4 列× 4 列で、使われる数字は 1 ～ 16 だから「真ん中の数」は 8.5。

よって、

　　　1 列の和＝ 8.5 × 4 ＝ 34

　なお、奇数列の魔方陣の時(3 × 3 列、5 × 5 列等)は、中心のマスができる。

そこに入る数字がこの「真ん中の数」である（練習参照）。
さて、「対称の和」と「1列の和」により、右図まで埋まる。

13	8	12	1
2	C	D	14
3	E	A	15
16	5	9	4

I 数的推理

　次に、この段階で「使える数字」は残りの6、7、10、11

タテの $12 + D + A + 9 = 34$ より、

　　$D + A = 13$　　∴　$A = 6$ か 7

ヨコの $3 + E + A + 15 = 34$ より、

　　$E + A = 16$　　∴　$A = 6$ か 10

以上より、$A = 6$

よって、$A + B = 6 + 9 = 15$

正答……4

「対称の和」「真ん中の数」「1列の和」を求めて、空欄を埋めよ。

①

	24		8	
	5		14	16
4			20	
11		25		9

(1 ～ 25)

②

14			
	8	12	
4			
	10		

(1 ～ 16)

8 図の 16 個のマス目に 1 から 16 までの自然数を 1 個ずつ入れて縦、横、斜めの和がいずれも等しくなるようにしたい。図のように 8 個の数を入れるとき X のマス目に入る数はどれか。　　　　　　[県・政令都市]

1　7
2　10
3　11
4　13
5　15

	2	3	
8		X	5
12			9
1	14		

9 下図のような方陣に 27 から 35 までの連続した 2 桁の整数 9 個を入れ、縦、横、斜めの和が等しくなるようにしたい。A、B に入る数の和はいくつか。　　　　　　[国家一般]

1　12
2　11
3　9
4　8
5　7

3□	3A	2□
2□	3□	33
3□	2□	3B

10 次の図のような 16 個のマス目に 1 から 16 までの整数を 1 個ずつ入れて、縦、横、対角線に並んだ 4 つの数のどの和も等しくなるようにしたい。空いているマス目に数字を入れていくとき、灰色の部分に入る 2 つの整数の和として正しいのはどれか。　　　　　　[県・政令都市]

1　13
2　14
3　15
4　16
5　17

		16	9
		11	2
		8	12

11 1〜16の整数全てを用いて表を作成した。この表の各行及び列の数字の和が全て等しいとき、表中のア〜エに当てはまる数字の組み合わせとして正しいのはどれか。　　　　　　　　　　　　　　　　　[国家一般]

	ア	イ	ウ	エ
1	11	13	4	6
2	13	11	6	4
3	13	16	4	1
4	16	13	1	4
5	16	13	4	1

㋐	2	3	㋑
5	㋔	10	8
9	7	㋕	12
㋒	14	15	㋓

12 右の5つの空欄に数字を書き入れ、縦の列、横の列、どの5つの数の合計も同じになるようにしたい。空欄には一定の数しか入らないわけではなく、いろいろな数を入れることが出来るが、5つの空欄に入る数の合計を出来るだけ小さくしたい。その合計の最小値は次のどれか。ただしどの空欄にも、0は入れないものとする。　　[県・政令都市]

	8	12	3	9
4		6	13	3
7	4		5	8
11	6	4		6
10	8	2	6	

1　24

2　26

3　28

4　30

5　32

I - 3

倍数と約数

例 題

縦 144 cm、横 135 cm の壁がある。ここにできるだけ大きな同じ大きさの正方形の壁紙をすきまなく敷きつめる場合、壁紙は何枚必要か。

    1   120 枚
    2   180 枚
    3   240 枚
    4   300 枚
    5   360 枚

解 説

問題の内容により、

　　全体を「等しくさせる」ときは、（最小）公倍数
　　全体を「等しく分ける」ときは、（最大）公約数

を使う。

【例題】では、壁を縦も横も「等しく分ける」と考えればよい。しかもできるだけ大きく分けたいから、正方形の一辺の長さは最大公約数で求められる。

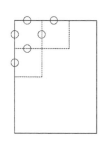

$$3)\ \underline{\quad 144 \quad 135}$$
$$3)\ \underline{\quad 48 \quad \ 45}$$
$$\quad\quad 16 \quad 15$$

最大公約数（正方形の大きさ）は 9 cm となり、縦に 16 枚、横に 15 枚並ぶ。したがって壁全体には、16 × 15 ＝ 240 枚

正答……3

《 練 習 》 •

最大公約数と最小公倍数を求めよ。

① 12、30、42　　　② 16、48、72　　　③ 36、42、54

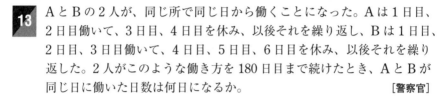

演 習

13 AとBの2人が、同じ所で同じ日から働くことになった。Aは1日目、2日目働いて、3日目、4日目を休み、以後それを繰り返し、Bは1日目、2日目、3日目働いて、4日目、5日目、6日目を休み、以後それを繰り返した。2人がこのような働き方を180日目まで続けたとき、AとBが同じ日に働いた日数は何日になるか。　　　　　　　　　　　[警察官]

　　1　39日
　　2　42日
　　3　45日
　　4　48日
　　5　51日

14 自然数で、1を引くと2でも3でも4でも5でも割り切れる数は、10から200のうちにはいくつあるか。　　　　　　　　　　　　　　　[市町村]

　　1　1個
　　2　2個
　　3　3個
　　4　4個
　　5　5個

15 1～200までの整数のうち、2と3の倍数だが、4の倍数でないものは
いくつあるか。 [市町村]

    1   44
    2   38
    3   32
    4   25
    5   17

16 3けたの整数のうち、3で割り切れない数はいくつあるか。 [国家一般]

    1   300 個
    2   399 個
    3   600 個
    4   699 個
    5   800 個

17 縦、横、高さがそれぞれ 15 cm、20 cm、10 cm のブロックをすきまな
く積み上げて、1辺の長さが 1 m 以上の立方体を作りたい。ブロックの
最少必要数は何個か。

    1   516 個
    2   576 個
    3   644 個
    4   684 個
    5   716 個

18 ある駅を発着する列車は、上り列車は 27 分ごとに、下り列車は 36 分ごとに発車する。いま午前 8 時 30 分に上り列車と下り列車が同時に発車すると、午後 5 時までにあと何回同時に発車するか。

1　2回
2　3回
3　4回
4　5回
5　6回

I 数的推理

19 図のような浴室の床に同じ大きさの正方形のタイルを敷きつめたい。このとき、できるだけ大きなタイルを使うものとすると、タイルは何枚必要か。

1　25 枚
2　28 枚
3　30 枚
4　32 枚
5　35 枚

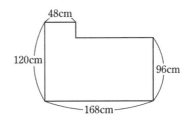

20 3 辺の長さが、それぞれ、60 m、132 m、156 m の三角形の土地の周囲に、出来るだけ少なく等間隔に、杭を打ちたい。三角形の頂点には必ず杭を打つとすると必要となる杭の本数は、次のうちどれか。　[裁判所]

1　25 本
2　26 本
3　27 本
4　28 本
5　29 本

整数問題

例 題

2けたの整数で1の位と10の位の数字を入れ替えると、もとの数の$1\frac{3}{4}$倍になるようなものは何通りあるか。

[警察官]

1　3通り
2　4通り
3　5通り
4　6通り
5　7通り

解 説

　整数問題は、公務員試験によく出題される。未知数(xとかy)の数より方程式の数が少ないので、求める数が整数ということを利用して解くものである。

【例題】をみる。もとの数を$10a+b$と置くと

入れ替えた数は$10b+a$(a、bは1～9までの整数)となる。

条件より、

　　「入れ替えた数」$=\frac{7}{4}\times$「もとの数」

だから

　　$10b+a=\frac{7}{4}(10a+b)$、整理すると、$b=2a$

　　よって、bは2の倍数である。

a	1	2	3	4
b	2	4	6	8

正答……2

練 習 ●

分数の形にして a、b を求めよ（ただし、a、b は $1 \sim 9$ の整数）。

① $3a = b + 9$　　② $3a = 4b + 12$　　③ $6a = 2 + b$

演 習

21 2桁の正の整数がある。この数の十の位と一の位を入れ替えた数に8を加えるともとの数の1.5倍になった。もとの数の十の位の数は次のうちどれか。　　　[県・政令都市]

1　3
2　4
3　5
4　6
5　7

22 ある古本屋には、A，B，C　3つのコーナーが設けられており、Aコーナーの本は1冊910円、Bコーナーの本は1冊520円、Cコーナーの本は1冊1,081円で販売されている。ある日の午前中、A，B，C各コーナーの本が1冊以上売れ、売上は13,595円であった。また、A，B各コーナーで売れた本の冊数はいずれもCコーナーで売れた冊数より少なくなかった。このとき、この日の午前中に3つのコーナーで売れた本は合計で何冊か。　　　[警察官]

1　14冊
2　15冊
3　16冊
4　17冊
5　18冊

23 4つの正の整数 A、B、C、D があり、以下の 3 つの関係が成立するとき、B＋C＋D の値はいくらか。 [県・政令都市]

$$3A = B + 9$$
$$3B - 4C = 2$$
$$D + 2B = 15$$

1 10
2 11
3 12
4 13
5 14

24 一万円札、五千円札及び千円札が合わせて 12 枚あり、その合計金額が 6 万 9000 円であるとき、一万円札の枚数として正しいのは次のうちどれか。 [裁判所]

1 1枚
2 2枚
3 3枚
4 4枚
5 5枚

25 2 チームで綱引きをして、勝てば 2 点加えられ、負ければ 1 点減らされ、引き分けのときは 1 点加えられるとする。はじめに持ち点を 5 点とし、どちらかが 0 点となるとき、この綱引きを終わることとする。ちょうど 12 回で綱引きが終了したとき、0 点になったチームは何回勝ったか。 [国家一般]

1 1回
2 2回
3 3回
4 4回
5 5回

26 A～Dの4人がリレーをして、トラックを20周することにした。それぞれがトラックを1周単位で走り、走った距離について次のように発言した。

  B 僕はAの2倍の距離を走った。
  C 僕はAより1周多く走った。
  D 僕が走った距離はCより短かった。
このことから確実にいえるのはどれか。   [国家一般]

 1 AとBの2人でトラック6周した。
 2 AとCの2人でトラック6周した。
 3 BとCの2人でトラック10周した。
 4 BとDの2人でトラック12周した。
 5 CとDの2人でトラック8周した。

27 カードが24枚あり、それぞれに5点、7点、12点のいずれかの点数が記されていて、その点数の合計は168点である。12点のカードの枚数をできる限り少なくするとき、7点のカードは何枚になるか。ただし、いずれの点数のカードも1枚以上あるものとする。 [県・政令都市]

 1 11
 2 13
 3 15
 4 17
 5 19

28 ある寿司屋には、上と並の2種類がある。上3人前分の値段は、並5人前分に相当する。上及び並を1人前ずつ買うと合わせて3,200円になる。今17,200円の予算を残さずに使う時、もっとも多く買えるのは上及び並を合わせて何人前か。

[国家一般]

1　11人前
2　12人前
3　13人前
4　14人前
5　15人前

I - 5

数の性質

出題頻度 ★★★★

例 題

社員旅行で旅館に泊まることになった。1部屋に6人ずつ泊まると2人余り、7人ずつ泊まると3人余り、8人ずつ泊まると4人余る。この旅館では200人以上の人を収容することはできない。このとき、全参加者数の各位の数の和はいくらか。 　　　　　　　　　　　　　　　　　　　　　　　　　　[国家一般]

　　1　14
　　2　13
　　3　12
　　4　11
　　5　10

解 説

A÷Bの商がP、余りがRのときは、A＝BP＋R(ただし、B＞R)と置くと考えやすい。

【例題】を上記の式に置いてみよう。全参加者数をA人と置く（Aは200未満の数）。割る数と余りの差がいずれも4であることに注目して変形する。

$$A = 6P + 2 \qquad A + 4 = 6(P + 1)$$
$$A = 7Q + 3 \quad \Rightarrow \quad A + 4 = 7(Q + 1)$$
$$A = 8K + 4 \qquad A + 4 = 8(K + 1)$$

変形した式から言えることは、A＋4は、6、7、8の共通の倍数（公倍数）ということである。最小公倍数は168だから、A＋4は168、336、504のいずれかである。ところで、Aは200未満という条件があるので、A＋4は204未満の数である。

したがって、A＋4＝168より、A＝164、各位の和は1＋6＋4＝11

正答……4

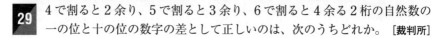

計算結果がそれぞれ偶数か奇数かを答えよ。

① 偶数＋偶数＝　　② 奇数＋奇数＝　　③ 偶数＋奇数＝
④ 偶数×偶数＝　　⑤ 奇数×奇数＝　　⑥ 偶数×奇数＝

演 習

29 4で割ると2余り、5で割ると3余り、6で割ると4余る2桁の自然数の一の位と十の位の数字の差として正しいのは、次のうちどれか。　[裁判所]

1　2
2　3
3　4
4　5
5　6

30 6で割ると1余り、8で割ると3余る300未満の3桁の正の整数のうち、最大の整数と最小の整数の差はいくらか。　[裁判所]

1　144
2　168
3　192
4　194
5　197

31 あるイベントの参加者にみかんを配ることにした。3個ずつ配ると1個余り、4個ずつ配ると2個余り、5個ずつ配ると4個余る。6個ずつ配ったときの余りはいくつか。

1　1個
2　2個
3　3個
4　4個
5　5個

32 バスツアーの参加者に用意した 100 個のお菓子を配るが、全員に同数ずつできるだけ多く配ると 7 個余る。また、女性客だけに同数ずつできるだけ多く配ると 5 個余る。このとき、男性客の人数として正しいものはどれか。　　　　　　　　　　　　　　　　　　　　　　　　　　　　[市町村]

1　10 人
2　11 人
3　12 人
4　13 人
5　14 人

33 次の式で、A は偶数、B と C は奇数とすると、計算結果が偶数になるのは、次のうちどれか。　　　　　　　　　　　　　　　　　　　　　　[裁判所]

1　$C(A+B)(A+C) - ABC$
2　$B^2 + CA - 2BC$
3　$3A^3 + 2AB + C^2$
4　$A(3A+C) + 4(B-C) + B$
5　$A^3 + B^3 + C^3 - 3ABC$

34 A ~ D の間に次の関係があるとき正しいのはどれか。
　　$(A+B)C = 奇数$
　　$B+C = 奇数$
　　$A+C+D = 偶数$　　　　　　　　　　　　　　　　　　　　　[警察官]

1　奇数は A、B、C だけである。
2　奇数は A、C だけである。
3　奇数は C だけである。
4　偶数は A、B だけである。
5　偶数は D だけである。

35 ある整数に対し偶数ならば2で割り、奇数ならば1を加えるという操作を行う。例えば、10についてこの操作を継続的に行うと10→5→6→3→4……となる。

　いま、ある整数に対しこの操作を継続的に4回行った結果が5であったとすると、ある整数として考えられるものはいくつあるか。　[市町村]

1　5個
2　6個
3　7個
4　8個
5　9個

36 9枚のカードの表に1〜9の数字を書き、その裏に①〜⑨の数字を表の数字とは無関係に順不同に書いた。これらの9枚のカードを表裏かまわずに並べたところ次のようになった。

　また、9枚のうち、表と裏に書かれた数字が同じものが3枚あり、表と裏に書かれた数の合計はそれぞれ3、4、8、8、11、12、13、14、17であった。この場合、1枚のカードの表と裏に書かれた数字の組合せとして正しいのはどれか。　[県・政令都市]

1　2の裏は⑥である。
2　3の裏は⑨である。
3　5の裏は⑦である。
4　7の裏は④である。
5　8の裏は⑤である。

37 10 枚のカードには 1 〜 10 の数字が 1 つずつ書かれている。いま、A 〜 E の 5 人が 2 枚ずつ取ったところ次の 3 つであった。

A は 2 と 8 のカードを取った。

B の取ったカードの数字の合計と C の取ったカードの数字の合計はいずれも 11 であった。

D と E の取ったカードの数のうち 1 番大きいものは 9 であり、D と E のどちらかの合計は 14 であった。

このとき、確実にいえるのはどれか。　　　　　　　　　　　　　[市町村]

1　1 と 7 のカードを取った者がいる。
2　3 と 9 のカードを取った者がいる。
3　4 と 7 のカードを取った者がいる。
4　4 と 9 のカードを取った者がいる。
5　5 と 6 のカードを取った者がいる。

方程式・不等式

例題

運動会で次のようなリレーが行なわれた。第1走者は全体の $\frac{1}{2}$ と 50 m、第2走者は残りの $\frac{1}{2}$ と 25 m、第3走者は 75 m を走った。第1走者の走った距離は次のうちどれか。　　　　　[裁判所]

1　250 m
2　300 m
3　350 m
4　400 m
5　450 m

解説

　与えられた条件を、式におきかえる。x を使う時は、通常は求めるものを x、時には元になるものを x とおく。

　また、公務員試験の方程式問題は、できるだけ線分図、ベン図、表などで解く方が速く確実である。

　【例題】は右図を書くと速い。上から書いて、下から対応する線分図に実数をいれていく。

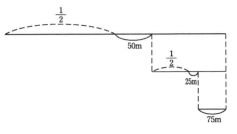

　第一走者の走った残りは 200 m と分かる。さらに、全体の距離の半分が 250 m と分かる。よって、第一走者の走った距離は 300 m。

正答……2

演 習

38 ある長さの棒がある。これを片端から全長の3分の1まで水につけ、さらに50 cm 入れ、さらに残りの長さの5分の2を水中に差し込んだところ、水にぬれていない部分の長さが90 cm となった。この棒の長さはいくらか。 [県・政令都市]

1 2.5 m
2 2.8 m
3 3.0 m
4 3.2 m
5 3.5 m

39 いくつかのりんごを3人で分けるのに、A は全体の3分の1より4個多くとり、B は残りの2分の1より3個多く取ったところ、C の分は10個となった。はじめりんごはいくつあったか。 [市町村]

1 36 個
2 39 個
3 42 個
4 45 個
5 48 個

40 1冊1600円の本が3冊ある。花子さんは3冊とも欲しかったが、持っているお金では1冊も買えなかった。ある日、父から持っているお金と同額のお金をもらったので、1冊が買えてまだお金が残っていた。次の日、前日残ったお金と同額のお金を母からもらったので、2冊目が買えていくらかお金が残った。さらにその次の日、残ったお金と同額のお金を今度は兄からもらったので、ちょうど3冊目が買えて、お金は残らなかった。花子さんが父、母、兄からもらったお金の合計はいくらか。 [国家一般]

1 3000 円
2 3100 円
3 3200 円
4 3300 円
5 3400 円

41 A～Gの7人が3000mの競争をした。この結果について次のことが分かっているとき、Aは何番目にゴールしたか。

A は B より 30 秒早くゴールインし、D とは 3 秒差であった。
D は C より 10 秒早くゴールインし、E より 32 秒早くゴールインした。
F は G より 23 秒早くゴールインし、C とは 14 秒差であった。
G は E より 13 秒早くゴールインし、B より 8 秒早くゴールインした。

1　1
2　2
3　3
4　4
5　5

42 A～Eの野球選手が、1～10のいずれかで互いに異なる背番号をつけている。それぞれの背番号について次のことがわかっているとき、5人の背番号の数の合計はいくらか。

A の背番号は B より、B の背番号は C より三つ小さい。
C の背番号は D の背番号より二つ小さい。
C の背番号と D の背番号の両数の和は 16 である。
E と C の背番号は三つ違いである。　　　　　　　　[県・政令都市]

1　27
2　28
3　29
4　30
5　31

43 Aさんは野外パーティを主催するにあたって、牛肉を3人で1kg、羊肉を4人で1kg、鶏肉を6人で1kg、豚肉を8人で1kgの割合でそれぞれ用意することとし、精肉店に合計63kgの肉を注文した。野外パーティの参加人数は何人か。 ［国家一般］

1　48人
2　63人
3　72人
4　84人
5　105人

44 夫婦と子供3人の家族がいる。夫婦の年齢の和は、子供の年齢の和より56歳多い。10年後、夫は49歳になり、夫婦の和の2分の1が子供の年齢の和に等しくなる。妻は夫よりいくつ年下か。 ［市町村］

1　3歳
2　4歳
3　5歳
4　6歳
5　7歳

45 50cmのひもを何本か結んで6m50cmのひもを作りたい。結び目のために各ひもの端から5cmが必要であるとすると、全部で何本のひもが必要か。 ［県・政令都市］

1　14本
2　15本
3　16本
4　17本
5　18本

46 じゃんけんをして勝った方は 50 m 前方にあるゴール目ざして 1 m 前進し、負けた方は 50 cm 後退するゲームをした。50 回じゃんけんしたとき、どちらもゴールには達しなかったが、A は B より 24 m 前方にいた。A は何回勝ったか。ただし、じゃんけんの回数 50 回中には引き分けは含まれない。

[県・政令都市]

1 30 回
2 31 回
3 32 回
4 33 回
5 34 回

47 A、B は同時に貯金を始めた。A は毎月 3 万円ずつ貯金した。あるとき 5 ヶ月間貯金をやめて、その後毎月 2 万円ずつ払い戻した。B は毎月 5 千円ずつ貯金し、2 年 4 ヶ月後には A と B の貯金額が同じになった。A の貯金額が最も多くなったのはいくらか。

[国家一般]

1 30 万円
2 33 万円
3 36 万円
4 39 万円
5 42 万円

48 A〜Eの5人がそれぞれ異なる持ち点でゲームを始めた。ゲームの進行につれて持ち点を失ったり得点したりしたが、終わったときに持っていた点は5人とも同じで、合計するとはじめの持ち点の合計500点よりも増していた。なお、個人別のゲーム結果は次の通りであった。

Aは、はじめの持ち点よりも25点増した。

Bは、はじめの持ち点よりも35点増した。

Cは、はじめの持ち点よりも10点減った。

Dは、はじめの持ち点の2倍になった。

Eは、はじめの持ち点の $\frac{1}{3}$ を失った。

A〜Eのはじめの持ち点として正しいものはどれか。　　　　　　［国家一般］

1　Aは85点であった。

2　Bは65点であった。

3　Cは115点であった。

4　Dは75点であった。

5　Eは155点であった。

49 ある数のキャンディーを子供たちに配ろうとしたところ、それぞれの子供に2個ずつ配ると33個残り、4個ずつ配ると10個以上残り、6個ずつ配ると10個以上足りなくなった。このとき、子供の人数はどれか。

［特別区］

1　　7人

2　　8人

3　　9人

4　10人

5　11人

50 鉛筆48本ずつを、A組、B組にそれぞれ配ることにした。A組で1人3本ずつ配ったところ余りがあったが、4本ずつでは足りなくなった。B組で1人4本ずつ配ったところ余りがあったが、5本ずつでは足りなくなった。A組とB組の人数の差は5人であった。A組に4本ずつ配るには少なくともあと何本必要か。　　　　　　　　　　　　　　［市町村］

1　4本
2　8本
3　12本
4　16本
5　20本

51 A君の所属するクラスには50人の生徒がおり、クラス会の会長1人と副会長1人とを選挙で選ぶことになって、A君を含め5人が立候補した。次の方法で選挙を行うとき、A君の得票と当落に関する下記記述のア、イに入る語句を正しく組み合わせているのはどれか。　　　　　［国家一般］

［選挙の方法］
・クラスの全員が候補者5人の中から2人を棄権することなく、会長、副会長の区別をせずに投票する。（候補者が取り得る票は最高で50票である。）
・最高の得票数の者を会長、その次の得票数の者を副会長とする。
・上位に得票数の同じ者がいる場合は、その中でくじ引きにより、会長、副会長を決める。
［A君の得票と当落］
　A君が、他の4人の候補者の得票数は分からないまま、自分の得票数のみを知らされたとき、自分の得票数が（　ア　）であれば会長または副会長に必ず当選し、（　イ　）であれば当選しないと推測できる。

	ア	イ
1	26票以上	9票以下
2	26票以上	10票以下
3	28票以上	10票以下
4	34票以上	9票以下
5	34票以上	12票以下

I - 7

集合

出題頻度 ★★★

例 題

ある学校の生徒 50 人が森林公園にバードウォッチングに出かけた。夕方集まって調べたところ、カワセミを見たものが 20 人、セキレイを見たものが 32 人、ウグイスを見たものが 28 人であった。このうちカワセミとセキレイを見たものは 12 人、セキレイとウグイスを見たものが 13 人おり、この 3 種類の鳥をすべて見たものは 5 人、1 種類も見なかった者が 2 人であった。以上から判断してカワセミとウグイスだけを見た者の数として正しいのは次のうちどれか。 [裁判所]

1 5人
2 6人
3 7人
4 8人
5 9人

解 説

・$A \cup B \cup C = A + B + C - (A \cap B)$
$- (B \cap C) - (C \cap A)$
$+ (A \cap B \cap C)$

・$U = (A \cup B \cup C) + Z$

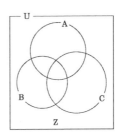

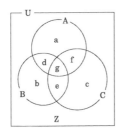

・それぞれに記号を付けて考える方がやりやすい場合もある。

・なお、2 つの集合の公式は
$A \cup B = A + B - A \cap B$ である。

例題では、公式を利用する。カワセミとウグイスだけを見た者をx人とすると、カワセミとウグイスを見た者は$(x＋5)$人であることに注意。

$$50－2＝20＋32＋28－12－13－(x＋5)＋5$$

と式がたつ。これを解いて、

∴　$x＝7$人

練習 ●

① 1～1000までの間に、3でも5でも7でも割り切れる数は、全部でいくつか。

② 1～200までの整数のうち、2と3の倍数だが、4の倍数でないものはいくつあるか。

③ 3けたの整数のうち、3で割り切れない数はいくつあるか。

演　習

52 1クラスの生徒に英語と数学と物理の試験を行った。3科目のうち少なくとも1科目が平均点以上の者が33人いた。

英語が平均点以上の者は19人である。
数学が平均点以上の者は24人である。
物理が平均点以上の者は26人である。
英語と数学の2科目が平均点以上の者は15人である。
英語と物理の2科目が平均点以上の者は16人である。
数学と物理の2科目が平均点以上の者は19人である。

3科目が全部平均点以上の者は何人か。　　　　　　　　　　［警察官］

1　10人
2　11人
3　12人
4　13人
5　14人

53 都内の会社50社について、OA機器の使用状況を調査したところ、パソコンを使用している会社は21社、ワープロを使用している会社は30社、ファクシミリを使用している会社は16社であった。また、パソコンとワープロの両方を使用している会社は13社、パソコンとファクシミリの両方を使用している会社は10社、ワープロとファクシミリの両方を使用している会社は7社あり、これらの中には3種のOA機器をすべて使用している会社が4社含まれていた。以上のことから判断して正しいのは、次のうちどれか。　　　　　　　　　　　　　　　　　[裁判所]

1　パソコンとワープロだけを使っている会社は、10社あった。

2　ワープロとファクシミリだけを使っている会社は、5社あった。

3　パソコンだけを使っている会社は、1社もなかった。

4　ワープロだけを使っている会社は、14社あった。

5　調査した3種のOA機器をいずれも使用していない会社は、10社ある。

54 ある会社で新入社員を募集したところ、30人の応募があった。この会社では教養試験、面接試験、作文試験の3種目の試験を行い、すべての試験に合格した者全員を採用することにした。試験の結果が次のア〜エのとおりであったとき、この会社は何名採用したか。　　　　　[国家一般]

ア　教養試験と面接試験の両方に合格した者は9人である。

イ　面接試験と作文試験の両方に合格した者は11人である。

ウ　教養試験と作文試験の両方に合格した者は10人である。

エ　いずれか2種目の試験には合格したが残りの1種目が不合格となり不採用になった者は18人である。

1　1人

2　2人

3　3人

4　4人

5　5人

55 1350 戸からなる団地の新聞購読状況について調査を行ったところ、次のことが分かった。新聞を購読していない戸数は何戸か。

A 新聞を購読している戸数は全体の 60％であった。
B 新聞を購読している戸数は全体の 52％であった。
A、B 両方とも購読している戸数は 620 戸あった。
A も B も購読せず、他の新聞を購読している戸数は全体の 20％であった。

［警察官］

1　154 戸
2　167 戸
3　188 戸
4　193 戸
5　201 戸

56 500 人に英語と数学の試験を行なった。英語 70 点以上の者の 60％は数学も 70 点以上である。数学が 70 点以上の者の 30％は英語も 70 点以上である。またどちらの試験も 70 点未満の者が 20 人いた。両方とも 70 点以上の者は全部で何人か。

［国家一般］

1　105 人
2　110 人
3　115 人
4　120 人
5　125 人

ある地方の 80 世帯について、新聞 A 紙と B 紙の定期購読の状況を調査したところ、どちらか一方の新聞を購読している世帯は 60 世帯で、両紙とも購読していない世帯は全世帯の 1 割であった。A 紙と B 紙の購読世帯数の割合が 4：3 のとき A 紙を購読しているのは全部で何世帯か。

1　44 世帯
2　46 世帯
3　48 世帯
4　50 世帯
5　52 世帯

47 人の子供について調査したところ、ファミコンを持っている者が 41 人、自転車を持っている者が 37 人、ラジオを持っている者が 24 人であった。これらを三つとも持っている者は少なくとも何人いるか。

[県・政令都市]

1　　6 人
2　　8 人
3　10 人
4　14 人
5　18 人

I - 8

割合・百分率

例　題

ある高校の生徒数は昨年度は男子・女子あわせて 300 人であったが、本年度は男子が 10％減り、女子が 20％増えたため、全体で 4％増えた。本年度の女子は何人か。

1　140 人
2　144 人
3　158 人
4　160 人
5　168 人

解　説

増減の変化に関する問題が多く、それらは表を作成するとわかりやすい。

	男子	女子	計
昨年	x	y	300
増減	$-0.1x$	$+0.2y$	300×0.04
本年	$0.9x$	$1.2y$	300×1.04

※「本年」のかわりに「増減分」を用いると計算が速い。

式は、表のとおりに作る。

$x + y = 300$ 　　　　　　　……①

$0.9x + 1.2y = 300 \times 1.04$ ……②

（増減分の場合は、$-0.1x + 0.2y = 300 \times 0.04$）

これを解くと y（昨年度の女子）は、140 人。

よって本年度は $140 \times 1.2 = 168$ 人

正答……5

練 習 •

① 昨年(60人)から、20%増えた。今年の人数は何人か。
② 昨年(60人)から、20%減った。今年の人数は何人か。
③ 50人が60人になった。何%増えたか。
④ 昨年より40%増えて、280人になった。昨年の人数は何人か。

演 習

59 ある学校の昨年の生徒数は850人であった。今年は，男子生徒数が9%減少し，女子生徒数が8%増加して全体として生徒数が4%増加したという。今年の女子生徒数は何人か。 [警察官]

1　336人
2　424人
3　512人
4　608人
5　702人

60 ある国で激しいインフレーションがあり，ある商品の価格が昨年は一昨年に比べて1,230%上昇し，今年は昨年に比べて2,500%上昇したという。一昨年のこの商品の価格がこの国の通貨単位で20であったとすると，今年のこの商品の価格はいくらか。 [市町村]

1　6,796
2　6,826
3　6,856
4　6,886
5　6,916

61 ある大学の入学試験で、受験申込者の 15%は書類審査で不合格となり、学科試験により、さらに 429 人の不合格者があった。そして合格者の数は受験申込者全体の 35%より 9 人少なかった。合格者は何人か。[警察官]

1　129 人
2　285 人
3　294 人
4　420 人
5　429 人

62 A家の来月の生活費は、食費に 50%、被服費に 15%、その他の費用に 35%を充てる予定であったが、その後当初の予定額よりも食費で 10%、被服費で 20%増えることになったので、その他の費用を切り詰めなければならなくなった。来月のその他の費用は、生活費の何%を占めることになるか。[市町村]

1　17%
2　18%
3　20%
4　23%
5　27%

63 ある大駐車場に多数の車が駐車しており、それらの 75%が白色の車、残りの 25%が赤色の車である。車は国産車・輸入車の 2 種類に分けられるが、赤色の車のうち、20%が国産車で、80%が輸入車である。全体に占める国産車の割合が 80%であるとき、白色の車に占める輸入車の割合はいくらか。[国家一般]

1　0%
2　4%
3　8%
4　12%
5　16%

64 面積 130 km^2 で人口密度 65 人/km^2 の A 町と、面積 70 km^2 で人口密度 150 人/km^2 の B 町が合併して C 町になった。新しくできた C 町の人口密度はおよそいくらか。　　　　　　　　　　　　　　　　［県・政令都市］

1　　95 人/km^2
2　102 人/km^2
3　108 人/km^2
4　114 人/km^2
5　125 人/km^2

65 ある会社の従業員は 600 人で、そのうち約 24％が未婚である。また、全体の約 16％が未婚女性である。この会社の従業員のうち、未婚男性は何人以上何人以下か。ただし「約何％」とは、小数点以下を四捨五入した数字で表わしたものである。　　　　　　　　　　［県・政令都市］

1　41 人以上 52 人以下
2　42 人以上 52 人以下
3　43 人以上 53 人以下
4　44 人以上 54 人以下
5　45 人以上 54 人以下

濃度

例　題

20%の食塩水と 8%の食塩水を混ぜ合わせると 16%の食塩水が 210g できた。20%の食塩水は何 g あったか。　　　　　　　　　　　　[裁判所]

    1　140g
    2　150g
    3　160g
    4　170g
    5　180g

解　説

・食塩水の問題は、情景図を書く。

・食塩の量がポイント。

　　　　　　　→水を入れても、水を蒸発させても食塩の量は不変である。

・食塩の量(g) $= \dfrac{濃度(\%)}{100} \times$ 食塩水の量(g)

　　例題では 20%の食塩水の量を x g、8%の食塩水の量を $(210-x)$ g とおく。

	20%		8%		16%
(食塩と水の量)	x		$(210-x)$		210
(食塩の量)	$\dfrac{20}{100}x$		$\dfrac{8}{100}(210-x)$		$\dfrac{16}{100} \times 210$

　食塩の量で式をつくると

$$\frac{20}{100}x + \frac{8}{100}(210-x) = \frac{16}{100} \times 210$$

これを解くと、$x = 140$g 　　　　　　　　　　　　　　　　正答……1

練 習 ●

① 水 150g に食塩 50g を混ぜると濃度は何％か。

② 食塩水 300g のうち食塩が 60g ある。濃度は何％か。

③ 20％の食塩水 500g には食塩は何 g あるか。

④ 3％の食塩水 100g に、10％の食塩水 250g を加えると濃度は何％か。

演 習

66 20％の砂糖水に 50g の砂糖を入れ、100g の水を蒸発させたところ 40％の砂糖水になった。最初の砂糖水は何 g であったか。　　[県・政令都市]

　　1　300g
　　2　350g
　　3　400g
　　4　450g
　　5　500g

67 ある物質をもはやこれ以上溶けなくなるまで水に溶かすと、その濃度（水溶液の重量に対する物質の垂量の割合）は 40％である。この物質の 20％濃度の水溶液 245g にあとおよそ何 g の物質を溶かし込めるか。ただし、水の温度は常に一定であるとする。　　　　　　　　　　　[警察官]

　　1　63g
　　2　69g
　　3　75g
　　4　81g
　　5　87g

68 6.0%の濃度の食塩水 270g がある。これに食塩を加えて、10.0%の濃度の食塩水を作った。このできた食塩水に 100.2g の水と 17.8g の食塩を加えてよくかくはんすると何%の濃度の食塩水が得られるか。　[市町村]

1　10.5%
2　11.5%
3　12.5%
4　13.5%
5　14.5%

69 A、B、C 3 本の試験管に、水がそれぞれ 10g、20g、30g 入っている。ある濃度の食塩水 10g を A の試験管に入れ、よく混ぜてから 10g 取り出し B に入れた。これをまたよく混ぜてから 10g 取り出して C に入れ、よく混ぜて濃度を調べたら 0.5%の食塩水であった。はじめに A に入れた食塩水の濃度は何%だったか。　[市町村]

1　3%
2　6%
3　9%
4　10%
5　12%

70 次の問題で正しいと思うものを 1 ～ 5 の中から選べ。
15%の食塩水 200g を水で希釈して 10%の食塩水にしようとしたが、誤って水のかわりに 3%の食塩水を使用した。希釈した食塩水は何%になるか。　[市町村]

1　10.5%
2　11.0%
3　11.5%
4　12.0%
5　12.5%

71 濃度4%の食塩水300gと濃度6%の食塩水200gを1つの容器に入れ。これに水を加えて濃度が3%以上4%以下の食塩水にしたい。水を何g加えたらよいか。

1　　50g 以上 200g 以下
2　　100g 以上 300g 以下
3　　150g 以上 400g 以下
4　　200g 以上 500g 以下
5　　300g 以上 500g 以下

72 濃度が30%の食塩水、20%の食塩水、10%の食塩水を2：3：5の割合で混ぜた場合の食塩水の濃度として正しいのは、次のうちどれか。　[裁判所]

1　　20%
2　　19%
3　　18%
4　　17%
5　　16%

73 4%の食塩水と9%の食塩水を5：3の重量比で混ぜあわせた後、66gの水を蒸発させたところ、10%の食塩水となった。混ぜあわせた9%の食塩水は何gか。
[国家一般]

1　　60g
2　　70g
3　　80g
4　　90g
5　　100g

74 25%の食塩水5 kgがある。そこから1 kgを汲み出して水1 kgを入れる。次に2 kgを汲み出して水2 kgを入れると、食塩水の濃度はいくらになるか。
[市町村]

1　10%
2　12%
3　15%
4　16%
5　18%

I - 10

対比

出題頻度 ★★

例 題

大学生A、B、Cの3人が旅行し、その総費用をある割合で分担すること
とした。その結果、AとCの割合は3:2で、BとCの割合は5:3で、A
の分担金は36,000円となったが、Bの分担金はいくらになるか。　[市町村]

1　28,000円
2　30,000円
3　36,000円
4　40,000円
5　45,000円

解 説

・内項の積は外項の積に等しい。A:B＝C:Dの時、BC＝AD
・A:B＝3:4、B:C＝6:5　のとき、A:B:Cの比は、

$$A : B : C$$
$$3 : 4 \quad \leftarrow \quad \times 3 \quad 共通のBの箇所に着目し、最小公倍数にする。$$
$$6 : 5 \quad \leftarrow \quad \times 2$$
$$9 : 12 : 10$$

【例題】では

$$A : B : C$$
$$3 : 2$$
$$5 : 3$$
$$9 : 10 : 6$$

　　分担金の比は、A:B:C＝9:10:6だから、それぞれの分担金をA＝9t(円)、
B＝10t(円)、C＝6t(円)とおく。Aの分担金は36,000円だから、9t＝36,000
より、t＝4,000(円)、Bは10tだから、10t＝40,000円

正答……4

① 2100円を、A：B：C＝3：2：2で分けた。Bはいくらか。

② A：B＝3：4、B：C＝3：5、A：B：Cはいくらか。

③ A：B＝4：3、A：C＝6：5、A：B：Cはいくらか。

④ AはBの$\frac{2}{3}$倍、BはCの$\frac{2}{5}$倍の時、A：B：Cはいくらか。

演 習

75 ある校友会の各部の予算をみたところ、運動部と演劇部の割合は6：5でカメラ部と演劇部の割合は3：7であった。運動部の予算が21,000円であったとすると、演劇部とカメラ部の予算の差額はいくらか。[**刑務官**]

1　9,500円
2　10,000円
3　10,500円
4　11,000円
5　11,500円

76 A、B、C3人がある営利事業を始めるために、必要な資金2,000万円をAが50％、Bが30％、Cが20％の割合で出資した。ところがさらに500万円の資金が必要となり、これをBとCが半分ずつ追加出資した。事業を始めて2年後に1,000万円の純利益を得たので各人の出資額に比例してこれを配分することにした。このとき、Cに配分される金額はいくらか。

1　180万円
2　200万円
3　220万円
4　240万円
5　260万円

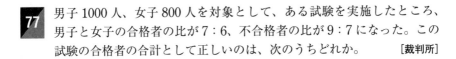

77 男子 1000 人、女子 800 人を対象として、ある試験を実施したところ、男子と女子の合格者の比が 7：6、不合格者の比が 9：7 になった。この試験の合格者の合計として正しいのは、次のうちどれか。　　　[裁判所]

1　507 人
2　520 人
3　533 人
4　546 人
5　559 人

78 みかんとりんごが 1 箱ずつある。A と B の 2 人に、みかんを 1：2、りんごを 2：1 の割合で分けたところ、各人の合計個数の比が 2：3 になった。最初にあったみかんとりんごの個数の比として正しいのはどれか。　　　[国家一般]

	みかん		りんご
1	1	:	4
2	2	:	3
3	1	:	1
4	3	:	2
5	4	:	1

79 A〜C の 3 種類の商品がある。A と B の価格の合計と、C の価格の比は 5：2 であり、B と C の価格の合計と A の価格の比は 4：1 であるとすれば、この 3 種類の商品の価格の大小関係として正しいのはどれか。　　　[警察官]

1　A＞B＞C
2　A＞C＞B
3　B＞A＞C
4　B＞C＞A
5　C＞A＞B

利益

例　題

定価が 8000 円の商品を 20％割引して売っても、利益は原価の 25％になるという。原価はいくらだったのか。

　1　1980 円　　2　2860 円　　3　3240 円　　4　4360 円　　5　5120 円

解　説

・右図のような「原・定・売・利」の表をつくり、利益のところで式をつくる。

　利益(売価−原価)＝利益(原価×利益率)

・2 通り以上の売り方がある場合は、それぞれの利益を出して、総利益と等号を結ぶ。

　利益＋利益＋・・・＝総利益

または、

　売上総額−原価総額(仕入れ総額)＝総利益

の式でもよい。

【例題】では、原価を a 円とおく。

利益＝原価の 25％($0.25a$)

また、利益＝売価−原価だから

　　$0.25a = 8000 \times 0.8 - a$

　　　　$a = 5120$ 円

正答……5

原価	100(円)
定価	(2 割の利益をつける) $100 \times 1.2 = 120$(円)
売価	(1 割の割引をすれば) $120 \times 0.9 = 108$(円)
利益	$108 - 100 = 8$(円)

原価	a(円)
定価	8,000(円)
売価	(20%割の割引をすれば) $8,000 \times 0.8 = 6400$(円)
利益	$6400 - a\ (= 0.25a)$

練習 ●

① 8000円の3割引きはいくらか。
② 定価が、原価の3割増しで2600円。原価はいくらか。
③ 売価が、定価の2割引きで1600円。定価はいくらか。
④ 原価の4割増の定価をつけた商品を、定価の2割引きで売ったので利益は600円だった。原価はいくらか。

演 習

80 定価8,000円の商品をバーゲンセールとして15%引きで売ったが、なお、原価の25%の利益があった。この商品の原価はいくらか。　　［国家一般］

1　2,850円
2　3,330円
3　4,320円
4　5,440円
5　6,970円

81 ある商品を8%引きで売っても、原価の15%の利益があるようにするためには、定価を原価の何%増しにすればよいか。　　［国家一般］

1　　23%
2　23.5%
3　　24%
4　24.5%
5　　25%

82 ある商品の価格を2回続けて値上げした。2回目は25%の値上げであったが、結局商品の価格は最初の価格の1.5倍になったという。1回目は何%値上げしたか。

［県・政令都市］

1　14%
2　16%
3　18%
4　20%
5　22%

83 ある商店では売出し期間中すべての商品が12%割引きになる。この期間中にジュースを10本まとめて買ったところ、1本おまけにくれたのでさらに安く買えた。結局1本当たり定価の何%引きで買ったか。

［市町村］

1　18%
2　20%
3　22%
4　24%
5　26%

84 ある人が品物を1000個仕入れて、600個を3割、300個を1割の利益を見込んで定価をつけました。残りの100個を破棄して、全体として33万円の利益を得ました。もしこの品物1000個を1.5割の利益を見込んで売ったとするといくらの利益がありますか。

［市町村］

1　35万円
2　38万円
3　40万円
4　43万円
5　45万円

85 原価 120 円の品物をいくつか仕入れ 160 円で売ることにしたが、そのうち 10 個は破損していたので捨て、15 個は少し傷があったので原価の 5 割引で売ったところ、6900 円の利益があったという。この製品を何個仕入れたか。 [市町村]

1 220 個
2 230 個
3 240 個
4 250 個
5 260 個

86 ある商店で、A、B2 個の商品を合計 13,000 円で仕入れ、A は 2 割、B は 3 割の利益を見込んで定価をつけたが、売り出しのときに、どちらも定価の 1 割引きで売ったところ、合わせて 1400 円の利益を得たという。A、B の仕入れの値段の差として正しいのは、次のうちどれか。 [裁判所]

1 3000 円
2 3500 円
3 4000 円
4 4500 円
5 5000 円

87 ある文房具店が総額 10,000 円で同じ消しゴムを何個か仕入れた。全体で 20％の利益を見込んで 1 個 60 円の定価をつけて売った。ところが仕入れた消しゴムの何％かが売れ残ってしまったため定価の 1 割引きで売ったら完売し、結局全体で 17.6％の利益になった。定価で売れた消しゴムは何個か。 [市町村]

1 120 個
2 130 個
3 140 個
4 150 個
5 160 個

I - 12

速さ

出題頻度 ★★★★

例 題

自動車でAからCまで行ったが、途中Bまでは時速50km、Bからは時速40kmで走ったところ、18時間かかった。もし、途中スピードを変えずに時速45kmで走っても、やはり18時間かかるものとすれば、AからBまでの距離は何kmか。 [警察官]

1　310km
2　400km
3　450km
4　475km
5　503km

解 説

・時間＝$\dfrac{距離}{速さ}$　　距離＝時間×速さ　　速さ＝$\dfrac{距離}{時間}$

・ことばの式や線分図を書いてみると分かりやすい。

・単位(時間、分、秒やkm、m)を揃える。

AC間の距離は
$$45 \times 18 = 810 (km)$$
求めるAB間を$x$kmとおくと、
BC間は$(810-x)$km。
(AB間にかかる時間) ＋ (BC間にかかる時間) ＝ 18時間だから、

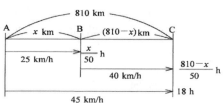

$$\frac{x}{50}+\frac{810-x}{40}=18$$
$$x = 450 (km)$$

正答……3

52

練 習 •

①　72 km/h＝（　）m/ 分＝（　）m/ 秒

②　15 m/ 秒＝（　）km/h

③　20 秒で 25 m 歩く人は、1 時間に（　）km 歩く。

演 習

88　地下鉄に乗るために、歩いて駅まで行くと 9 分遅れるので、自転車で行ったところ、地下鉄が発車する 15 分前に着いた。歩く速さを毎分 50 m、自転車の速さを毎分 350 m とすると、家から駅までの距離はいくらか。

[警察官]

1　　980 m

2　1400 m

3　2650 m

4　3600 m

5　4350 m

89　A 市から B 市まで、自動車で通う人がいる。朝は時速 30 km で走らせ、夕方は時速 50 km で走らせて往復すると、朝のほうが夕方よりも 30 分よけいに時間がかかるという。このとき A 市から B 市までの距離はいくらか。

[県・政令都市]

1　　35 km

2　37.5 km

3　　39 km

4　41.5 km

5　　43 km

90 A君は徒歩で学校に行く。ふだんは午前7時30分に家を出るが、その日は10分遅れて家を出たので、道のりの半分をいつもの3倍の速さで歩き、残りの半分をいつもの速さで歩いたら、5分早く着いた。A君はふだん何時何分に学校に着くか。 [警察官]

1　8時5分
2　8時10分
3　8時15分
4　8時20分
5　8時30分

91 Aは、友人と図書館で会う約束をして、自転車で待ち合わせの時刻の45分前に家を出発した。始めは時速25kmだったが、20分後、このままの速度で進むと約束の時刻より早く着いてしまうと考え、速度を時速 x kmにおとし、約束の時刻ちょうどに図書館に着いた。Aの家から図書館までの距離は15kmであるとすれば、x の値として正しいのはどれか。 [裁判所]

1　16
2　17
3　18
4　19
5　20

92 甲村に住むAは峠を挟んだ乙町まで往復した。上り坂は毎時4kmで、下り坂は毎時5kmの速さで歩いたが、帰りは峠で15分間休憩したため、行きも帰りも同じく3時間30分かかった。甲村から乙町までの道のりは何kmか。 [国家一般]

1　12 km
2　13 km
3　14 km
4　15 km
5　16 km

93 Aは、自宅から駅までの1kmの道のりを15分かけて徒歩で通勤している。ある日、途中で忘れ物に気付いたため、走って家に戻り、忘れ物を探してからすぐに自転車で駅に向かったところ、いつもの通勤時間と同じ15分で駅に到着することができた。Aの走る速さ及び自転車の速さはそれぞれ2倍及び2.5倍とすると、Aが忘れ物に気付いたのは自宅から何mのところか。

ただし、走って家に戻った後、すぐに自転車で出発したものとし、忘れ物を探す時間は考えないものとする。　　　　　　　　　　[国家一般]

1　200 m
2　300 m
3　400 m
4　500 m
5　600 m

94 Aは、Aの自宅からBの家に向かって、毎時12kmの速さで走り始めた。20分走った後、毎時6kmの速さで20分歩き、再び毎時12kmの速さで走った。このようにして、20分毎の走りと歩きを繰り返し、自宅を出てから1時間30分でBの家に着いた。もしAが自転車で毎時18kmの速さで自宅からBの家まで走り続けるとすると、その所要時間は何分か。ただし、分未満は切り上げるものとする。　　　　[県・政令都市]

1　43分
2　44分
3　45分
4　46分
5　47分

I
数的推理

95 1周100mのトラックで2000m走るとする。Aは、最初の8周を1周13秒の速さで、次の8周を1周15秒の速さで、最後の4周を1周16秒の速さで走ったとする。またBは、最初の4周を1周12秒の速さで、次の4周を1周14秒の速さで、次の7周を1周16秒の速さで、最後の5周を1周20秒の速さで走ったとする。Aが走り終えたとき、Bはゴールまであと何mのところにいるか。 ［市町村］

1 60 m
2 80 m
3 100 m
4 120 m
5 140 m

96 2地点間を往復するとき、全行程の$\frac{1}{3}$ずつをそれぞれ時速24km、18km、12kmで走った。全行程の平均の速さはおよそいくらか。 ［国家一般］

1 18.0 km/h
2 17.8 km/h
3 17.5 km/h
4 17.1 km/h
5 16.6 km/h

97 藤田さんは、職場から自動車でコンビニエンスストアを経由して帰宅した。職場からコンビニエンスストアまでの平均速度は60km/h、コンビニエンスストアから自宅までの平均速度は40km/hであった。職場からコンビニエンスストアまでの距離と、コンビニエンスストアから自宅までの距離の比が3：2であるとすると、職場から自宅までの平均速度はいくらであったか。 ［国家一般］

1 47.5 km/h
2 50 km/h
3 51 km/h
4 52.5 km/h
5 53 km/h

98 次のア、イに入る数の組合せとして正しいのはどれか。

直線道路の二つの地点 A、B は 4 〜 5 km ほど離れている。道路の両地点の間で火災が発生し、今、A 地点から a 消防車が時速 48 km で、B 地点から b 消防車が時速 72 km で同時に出発して火災現場に向かった。そして両消防車は火災現場に同時に着いた。火災現場は A 地点からみて A、B 地点間距離の ア の地点であり、火災現場に着く 30 秒前の両消防車間の距離は イ km であったことになる。 ［国家一般］

```
       ア    イ
1     2/5    1
2     2/5    2
3     3/5    1
4     3/5    2
5     5/6    1
```

99 木が 15 m 間隔で植えられている道路がある。その道路を A 君は毎分 45 m で、B 君は毎分 65 m で走る。A 君が出発してから 4 分後に B 君が出発するとき、B 君は A 君を何本目の植木のところで追い抜くか。

［警察官］

1　40 本
2　55 本
3　65 本
4　80 本
5　90 本

100 父と長男、次男が同じ方向に走っている。長男が次男を追い越したときは、父はその30 m後を走っていた。その20秒後に父が次男を追い越したときは、長男はその10 m前を走っていた。父が長男を追い越すのは、父が次男を追い越してから何秒後か。 [市町村]

1　7秒後
2　8秒後
3　9秒後
4　10秒後
5　11秒後

101 A、Bの二人が一緒に歩き始めると、Aの方が歩く速度が速く10分後にはAが120 m先に行ってしまうという。いま、ある地点からBは秒速1 mの「動く歩道」の上を歩き、Aはそれと平行な道の上を歩いた。1分後にはどちらがどれだけ先に行くことになるか。 [市町村]

1　Aの方が12 m先に行く。
2　Aの方が6 m先に行く。
3　Bの方が12 m先に行く。
4　Bの方が24 m先に行く。
5　Bの方が48 m先に行く。

102 トラックをA、B、Cの3人がランニングをしている。Aは毎分100 mで、BとCは同じ速度で走っている。AはBに9分ごとに追い抜かれ、Cとは3分ごとに出会う。トラックは何mか。 [市町村]

1　1200 m
2　900 m
3　750 m
4　600 m
5　300 m

103 A、B 2 人は、それぞれ A は毎時 25 km、B は毎時 20 km で、同時に同形のトラックを同じ方向に自転車で回ったところ、9 分ごとに A は B を追い越したという。この 2 人が同時に逆方向に出発すると、最初に出会うまでの時間はいくらか。

1　1分
2　2分
3　3分
4　4分
5　5分

104 両親と子供一人の 3 人が自転車で 1 周 1,200 m のサイクリングコースを同じ地点から同時に同方向に走った。それぞれの速度は父親が毎分 330 m、母親が毎分 270 m、子供が毎分 250 m であるとすればスタート後初めて 3 人が一緒になるのは何分後であるかにつき正しいのは次のうちどれか。　　　　　　　　　　　　　　　　　　　　　　　　　[裁判所]

1　　30分後
2　　60分後
3　　80分後
4　　90分後
5　100分後

105 あるグランドを 1 周するのに、兄は 3 分かかり、弟は 4 分かかる。このグランドをいま兄が走り始めたとき、弟は兄より $\frac{2}{3}$ 周先を走っていた。2 人とも一定速度のまま走り続けたとすると、兄は何分後に追いつくか。　　　　　　　　　　　　　　　　　　　　　　　　　　　　　　[市町村]

1　　8分後
2　10分後
3　12分後
4　14分後
5　16分後

106 A～Cの3人で100mの競走をしたところ、まず、AがBに10mの差をつけてゴールし、次にBがCに同じく10mの差をつけてゴールした。Aがゴールしたとき、Cはゴールまであと何m残していたか。　[市町村]

1　18m
2　19m
3　20m
4　21m
5　22m

107 A、B2人が、1周400mのトラックを周回する10,000m競走をした。スタートしてAがトラックを5周したとき、Bはちょうど4周した。以後同様の速度比で走るとすると、Aがゴールインしたとき、Bはあと何m走らなければならないか。　[県・政令都市]

1　1,000m
2　1,200m
3　1,600m
4　1,800m
5　2,000m

108 一定の速度で動いている「動く歩道」がある。いま、子供がこの歩道の上を、歩道の動きと逆方向に端から端まで一定のペースで歩いたところ、歩道の動きと同じ方向に端から端まで同じように歩いたときの3倍の時間がかかった。子供がこのペースで歩く速さは歩道の動く速さの何倍か。　[国家一般]

1　$\dfrac{4}{3}$倍

2　$\dfrac{3}{2}$倍

3　2倍

4　$\dfrac{5}{2}$倍

5　3倍

I - 13

場合の数

例 題

A〜Eの5人がレストランに入ったところ、3人掛けのテーブルと4人掛けのテーブルが空いていた。AとBは話があるので一緒のテーブルにつくことにした。5人が二つのテーブルに分かれる分かれ方は何通りあるか。

[市町村]

1　6通り
2　8通り
3　9通り
4　11通り
5　14通り

解 説

・場合の数を求めるには、一つ一つ「場合分け」することが基本である。
・樹形図を書くとわかりやすい。
　【例題】では、3人掛けテーブルの座り方を決めると、自動的に4人掛けテーブルが決まることに着目する。A、Bは必ず一緒という条件で、3人掛けテーブルの座り方を場合分けして考える。

(1)　3人掛けテーブルに1人座る場合・・・C、D、Eの3通り
　　（4人掛けテーブルには残りの4人）
(2)　3人掛けテーブルに2人座る場合・・・AB、CD、CE、DEの4通り
　　（4人掛けテーブルには残りの3人）
(3)　3人掛けテーブルに3人座る場合・・・ABC、ABD、ABE、CDEの4通り
　　（4人掛けテーブルには残りの2人）

合計　11通り　　　　　　　　　　　　　　　正答……4

① 1、2、3のカードでできる3桁の数字はいくつあるか。

② 1、2、3の数字で3桁の数は何個つくれるか。ただし同じ数を何個使っても
よい。

③ 0、1、3、5のカードでできる3桁の数字はいくつあるか。

④ リレーでA、B、C、Dの走る順番は何通りあるか。

⑤ A、B、C、Dの4人が横一列に並ぶときBがいつも端になる並び方は何
通りあるか。

演 習

109 形の異なる3つの箱に3個の球を入れる。1つも入っていない箱があっ
てもよいとすると、何通りの入れ方があるか。　　　　　　　　[市町村]

1　12通り

2　10通り

3　9通り

4　8通り

5　7通り

110 1のカードが2枚、2、3、4のカードが1枚ずつある。この5枚の中
から3枚選んで3桁の整数をつくる。全部で何通りあるか。　[国家一般]

1　33通り

2　40通り

3　52通り

4　65通り

5　74通り

111 235のように、三けたの数で、各けたの三つの数の合計が10になるような数は全部でいくつあるか。ただし、055のように頭に0のくる数は数えない。 [県・政令都市]

1　　50個
2　　54個
3　　62個
4　　75個
5　　100個

112 荷物を送るとき、15kg以上25kg以下であれば料金は同じである。いま、この料金で3kgの商品と4kgの商品とを、それぞれ1個以上混ぜて送るとすれば、商品の組合せ方は全部で何通りあるか。 [国家一般]

1　　12通り
2　　13通り
3　　14通り
4　　15通り
5　　16通り

113 a、b、cのいずれか1文字が書かれた7枚のカードがあり、aと書かれたカードが2枚、bと書かれたカードが2枚、cと書かれたカードが3枚となっている。この7枚のカードから5枚を選び、横一列に並べるとき、右からの読みと左からの読みが同一になる並べ方は何通りあるか。 [国家一般]

1　　8通り
2　　9通り
3　　10通り
4　　11通り
5　　12通り

114 黒い碁石が４個と白い碁石が３個ある。白が隣り合わない並べ方は何通りあるか。

[市町村]

1 16 通り
2 14 通り
3 12 通り
4 10 通り
5 8 通り

115 15 個の区別できないリンゴを赤、青、緑、黄の４つの袋に分けて入れる方法は何通りあるか。ただし、１個もリンゴが入っていない袋があってはならない。

[警察官]

1 128 通り
2 364 通り
3 455 通り
4 1001 通り
5 1365 通り

116 A〜Dの４人が１度ずつ対戦する総当たりの囲碁のリーグ戦を行うとき、A〜Dのうち誰か１人が３勝０敗、他の３人が１勝２敗である場合は何通りあるか。

[国家Ⅲ種]

1 3 通り
2 5 通り
3 6 通り
4 8 通り
5 10 通り

デパートで買い物をしたところ代金は 12,800 円であった。今、一万円札を 1 枚、五千円札を 2 枚、千円札を 7 枚、五百円硬貨を 3 枚、百円硬貨を 8 枚持っているとすると、おつりをもらわずに代金を支払う方法は何通りあるか。 [国家一般]

1　　8 通り
2　　9 通り
3　　10 通り
4　　11 通り
5　　12 通り

 図のグラフの 4 か所の部分を赤、青、黄の 3 色を使って、隣りあう部分が同じ色にならないように塗りつぶしたい。何通りの塗り方があるか。ただし、3 色のうち、使わない色があってもよい。 [県・政令都市]

1　16 通り
2　18 通り
3　20 通り
4　24 通り
5　30 通り

確率

例 題

図のようにA～Eの5つ並んだ席がある。いま、男2人、女3人の合計5人を、女が3人並んで座ってはいけないという条件をつけて座らせた。このときA、B、Cの席に男が座る確率の大小関係として正しいものはどれか。

[国家一般]

1　A>C>B
2　B>A>C
3　B>C>A
4　C>B>A
5　C>A>B

A	B	C	D	E

解 説

・あることがらの起こり得る全ての場合の数が n、そのうち、ある特定のことがらAの起こり得る場合の数が a のとき、

$$\text{Aの起こる確率}(p) = \frac{a}{n} = \frac{\text{特定の場合の数}}{\text{全ての場合の数}}$$

・確率では起こる可能性を求めるから、同じ大きさ、形のサイコロ、球などもそれぞれ異なったものとして考える。

・やさしい問題は、表や樹形図で考えた方がよい。

・計算で考える時、二つのことがらが同時に（連続して）起こるとき $(A \cap B)$ は積、同時に起こり得ないとき $(A \cup B)$ は和で求める。

【例題】では、男2人が座る席を考えてみる（残りは、自動的に女の席になる）。

右の表より、男がAに座る確率……$\dfrac{2}{7}$

男がBに座る確率……$\dfrac{3}{7}$

男がCに座る確率……$\dfrac{4}{7}$

正答……4

A	B	C	D	E
◯		◯		
◯			◯	
	◯	◯		
	◯		◯	
	◯			◯
		◯	◯	
		◯		◯

Ⅰ 数的推理

練習

① 2つのサイコロを投げるとき、目の和が6以下になる確率はいくらか。
② サイコロを2回投げるとき、2回とも偶数の目の出る確率はいくらか。
③ 2枚の硬貨を同時に投げるとき、2枚とも表の出る確率はいくらか。

演 習

119 2個のサイコロを同時に振るとき、出た目の数の積が3の倍数になる確率は次のどれか。

1　$\dfrac{5}{18}$

2　$\dfrac{1}{3}$

3　$\dfrac{4}{9}$

4　$\dfrac{5}{9}$

5　$\dfrac{7}{12}$

120 赤玉10個、白玉6個、黒玉9個が入っている袋の中から1個ずつ3回玉を取り出すとき、3個とも白である確率はいくらか。ただし1度取り出した玉は袋の中へ戻さないものとする。

1 $\dfrac{1}{115}$

2 $\dfrac{1}{100}$

3 $\dfrac{3}{50}$

4 $\dfrac{6}{25}$

5 $\dfrac{1}{4}$

121 1〜6の数字が書かれた正六面体の複数のサイコロを同時に振り、一つでも4の目が出たらAの勝ち、一つも4の目が出なかったらBの勝ちとする。Aの勝つ確率が50%以上になるには、サイコロの数は少なくとも何個必要か。　　　　　[国家一般]

1 3個

2 4個

3 5個

4 6個

5 7個

122 テニスの練習をした3人がジャンケンをして、負けた1人または2人が
用具の片付けをすることとした。3人がそれぞれ任意にグー、チョキ、
パーのうちの一つを出すとき、1回のジャンケンで勝負がつく確率はど
れか。 ［国家一般］

1 $\dfrac{1}{3}$

2 $\dfrac{1}{2}$

3 $\dfrac{2}{3}$

4 $\dfrac{3}{4}$

5 $\dfrac{5}{6}$

123 16本の中に3本の当りくじが入っている。くじを2本同時に引いた場合、
少なくとも1本が当りくじである確率はいくらか。 ［国家一般］

1 $\dfrac{3}{16}$

2 $\dfrac{77}{240}$

3 $\dfrac{13}{40}$

4 $\dfrac{7}{20}$

5 $\dfrac{3}{8}$

124 ある土地において毎日の天気を「晴れ」と「雨」の二つに分類しており、ある日「晴れ」であった翌日に「晴れ」になる確率は80%、ある日「雨」であった翌日に「雨」になる確率は60%であることが分かっている。ある日「晴れ」であった翌々日、「雨」になる確率はいくらか。　　[国家一般]

1　24%
2　28%
3　32%
4　36%
5　40%

125 1〜9の数字が1つずつ書かれたカード9枚から2枚とるとき、2枚のカードの数の和が偶数になる確率はいくらか。　　[国家一般]

1　$\dfrac{4}{9}$

2　$\dfrac{2}{9}$

3　$\dfrac{2}{3}$

4　$\dfrac{1}{3}$

5　$\dfrac{1}{2}$

126 金2個、銀3個の玉が箱の中に入っている。今この玉を1個ずつ箱から取り出すとき、最初に取り出した玉と同じ色の玉が、すべて連続で出る確率として正しいのは、次のうちどれか。　　　　　　　　　　[裁判所]

1　$\dfrac{1}{6}$

2　$\dfrac{1}{5}$

3　$\dfrac{2}{9}$

4　$\dfrac{1}{4}$

5　$\dfrac{2}{5}$

127 箱の中にA、B、Cの三つの袋が入っている。Aには赤玉が9個と白玉が15個、Bには赤玉が6個と白玉が2個、Cには白玉ばかりが10個入っている。ある人がこの箱の中からランダムに袋を一つ選び、その袋の中からランダムに玉を1個取り出した。取り出した玉が赤玉である確率はいくらか。　　　　　　　　　　　　　　　　　　　　[市町村]

1　$\dfrac{1}{3}$

2　$\dfrac{3}{8}$

3　$\dfrac{3}{10}$

4　$\dfrac{5}{12}$

5　$\dfrac{7}{12}$

128 A、Bの2人が試合を続けて行い、先に3勝した者を勝者とする競技を行った。Aがまず最初の試合に勝ったとき、Aが勝者となる確率はいくらか。ただし、A、Bが一つの試合に勝つ確率はともに同じとし、引き分けの試合はないものとする。 [国家一般]

1　$\dfrac{1}{2}$

2　$\dfrac{9}{16}$

3　$\dfrac{5}{8}$

4　$\dfrac{11}{16}$

5　$\dfrac{3}{4}$

129 Aは、電車に乗ると5回に1回の割合で傘を忘れる。ある日、Aが学校からX線、Y線、Z線の順に3本の電車を乗り継いで帰宅したとき、傘をいずれかの電車内に忘れてきた。Y線の電車内に傘を忘れてきた確率はいくらか。 [国家一般]

1　$\dfrac{4}{29}$

2　$\dfrac{9}{61}$

3　$\dfrac{16}{81}$

4　$\dfrac{1}{5}$

5　$\dfrac{20}{61}$

II

数的推理図形

II - 1

三平方の定理

出題頻度 ★★

まとめ

① **三平方の定理**

　直角三角形の直角をはさむ2辺の長さを a、b とし、斜辺の長さを c とすると、

$$a^2 + b^2 = c^2$$

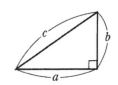

② **特別な直角三角形**

(1) 45°のある直角三角形（直角二等辺三角形）

　直角をはさむ辺の長さを1とすると、3辺の比は

$$1 : 1 : \sqrt{2}$$

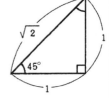

(2) 30°と60°のある直角三角形

　最も短い辺の長さを1とすると3辺の比は

$$1 : \sqrt{3} : 2$$

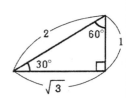

(3) 3辺の比が整数の直角三角形

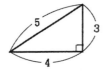 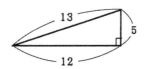

練 習 •

① 次の図の直角三角形について、辺の長さ x の値を求めよ。

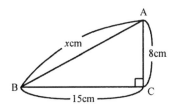

② 次の図の直角三角形について、辺の長さ x の値を求めよ。

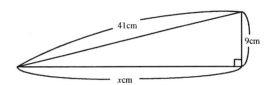

③ 下図は底辺が 24 cm の二等辺三角形である。この三角形の高さはいくらか。

図のような長方形の土地がある。対角線
BD = 10 m、斜線部の面積を 24 m² とすれば、
この土地の周囲はいくらか。　[県・政令都市]

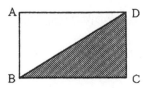

1　24 m
2　26 m
3　28 m
4　30 m
5　32 m

解　説

AB = a, AD = b とおくと

$a^2 + b^2 = 10^2$　……①

$\frac{1}{2}ab = 24$　……②

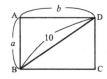

②より　$ab = 48$ ……②′

$(a+b)^2 = a^2 + b^2 + 2ab$　これに①と②′を代入して

$(a+b)^2 = 100 + 96 = 196$　∴ $a+b = \sqrt{196} = 14$

したがって、周囲は $14 \times 2 = 28\,(\text{m})$

正答……3

演　習

130　三角すい ABCD において、AC = CD = 10 cm、
BC = 8 cm、∠ACD = ∠ABC = ∠ABD = 90°
である。BD の長さはいくらか。

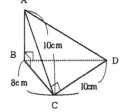

1　$2\sqrt{41}$ cm
2　$2\sqrt{47}$ cm
3　$3\sqrt{27}$ cm
4　$3\sqrt{31}$ cm
5　$3\sqrt{47}$ cm

131 右の図は半径 10 cm の球を中心から 6 cm の距離
で切ったものである。切り口は円となるが、その
円の半径を求めよ。

1 6 cm

2 $6\sqrt{2}$ cm

3 $6\sqrt{3}$ cm

4 8 cm

5 $8\sqrt{2}$ cm

132 右の図は一辺が 6 cm の正六角形である。図の
太線で囲まれた部分の面積に最も近いのは次の
うちどれか。　　　　　　　　　　　　[裁判所]

1 60.8 cm²

2 62.3 cm²

3 64.1 cm²

4 65.2 cm²

5 67.3 cm²

133 図のように直径 10 cm の円に内接する六角形の面積として正しいものは
次のうちどれか。ただし、辺 AB、ED は平行であり、点 F、C はそれ
ぞれ弧 AE、BD の中点とする。　　　　　　　　　　　　[県・政令都市]

1 45.0 cm²

2 49.5 cm²

3 54.0 cm²

4 57.6 cm²

5 61.2 cm²

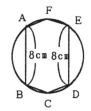

134 A点でがけの頂上を見上げると、その仰角が30°であった。がけのほうに12m近寄ったB点でその仰角を測ったら45°であった。このがけの高さはどれに最も近いか。

[県・政令都市]

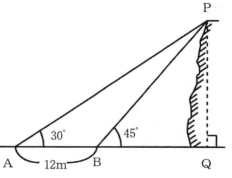

1 16.4 m
2 17.0 m
3 17.6 m
4 18.2 m
5 18.8 m

135 周の長さが16 cm、面積が9 cm^{2}であるひし形の、2本の対角線の長さの和はいくらか。

[国家一般]

1 6 cm
2 8 cm
3 10 cm
4 12 cm
5 15 cm

II - 2

円・おうぎ形の面積

出題頻度 ★★★

まとめ

① 円周の長さ

$$l = 2\pi r$$

② 円の面積

$$S = \pi r^2$$

③ おうぎ形の弧の長さ

$$l = 2\pi r \times \frac{a}{360}$$

④ おうぎ形の面積

$$S = \pi r^2 \times \frac{a}{360}$$

また、おうぎ形の弧の長さ l は中心角 a に比例するから

$$l : 2\pi r = a : 360$$

である。よって

$$S = \pi r^2 \times \frac{l}{2\pi r} = \frac{1}{2} rl$$

とも書ける。

II 数的推理図形

⑤　三角形の面積比

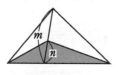

全体：網かけ部

$m : n$

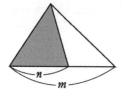

$m : n$

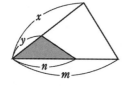

$mx : ny$

練　習 ●

①　半径 5 cm、中心角 36° のおうぎ形の弧の長さと面積を求めよ。

②　半径 20 cm、弧の長さ 25.12 cm のおうぎ形の中心角を求めよ。ただし、
　　$\pi = 3.14$ とする。

③　次のおうぎ形の面積を求めよ。

④　右の図は、1 辺の長さ 10 cm の正方形の内部に、頂
　　点を中心とし、1 辺の長さを半径とするおうぎ形を 2
　　つ描いたものである。斜線部分の面積を求めよ。

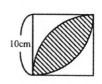

⑤　斜線部分の面積を求めよ。

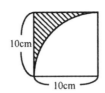

⑥　右図において、△ABC と△ABD の面積比を求めよ。

ただし、BD ＝ $\dfrac{2}{3}$ BC とする。

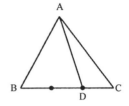

⑦　右図において、△ABC と△DBC の面積比を求めよ。

ただし、BD ＝ $\dfrac{3}{4}$ AB とする。

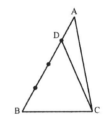

⑧　右図において、△ABC の面積を 1 とするとき、S_1、S_2 の面積をそれぞれ求めよ。

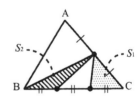

⑨　右図において、△ABC の面積を 1 とするとき、S_1、S_2 の面積をそれぞれ求めよ。

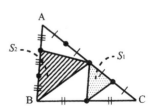

Ⅱ
数的推理図形

図の斜線部の面積はいくらか。　　　　　　　　　［県・政令都市］

1　　約 4.0 cm²
2　　約 6.3 cm²
3　　約 7.1 cm²
4　　約 8.9 cm²
5　　約 9.4 cm²

解　説

　斜線部の面積を直接計算はできないから、円やおうぎ形に分解して考える。正三角形から、半径 5 cm、中心角 60° のおうぎ形 3 つを引くと計算できる。正三角形の高さは、$5\sqrt{3}$ cm だから、

$$\frac{1}{2} \times 10 \times 5\sqrt{3} - 3\left(5^2\pi \times \frac{60}{360}\right)$$

$$= 25\sqrt{3} - \frac{25}{2}\pi \fallingdotseq 4.0\,(\text{cm}^2)$$

正答……1

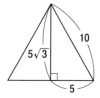

例　題

下図において、三角形 ABC の辺上の点 D、E、F が $AD = \dfrac{1}{3} AB$、$CF = FE = \dfrac{1}{5} BC$ であるとき、三角形 AFC、三角形 ADF、三角形 DEF の面積の比はどうなるか。　　　　　　　　　　　　　　　　　　　　　　　[国家一般]

	S_1	:	S_2	:	S_3
1	4	:	5	:	3
2	4	:	4	:	3
3	3	:	3	:	2
4	3	:	4	:	3
5	3	:	4	:	2

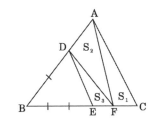

解　説

全体の三角形の面積を 1 とおいて考えるとよい。

$\triangle ABC = 1$ とおく。

S_1 は CF を底辺と考えると、$CF = \dfrac{1}{5} BC$ であるから、

$$S_1 = \dfrac{1}{5} \triangle ABC = \dfrac{1}{5}$$

S_2 は底辺を AD と考えると $AD = \dfrac{1}{3} AB$、高さは $BF = \dfrac{4}{5} BC$ であるから、

$$S_2 = \dfrac{1}{3} \times \dfrac{4}{5} \triangle ABC = \dfrac{4}{15}$$

S_3 は底辺を EF と考えると、$EF = \dfrac{1}{5} BC$、高さは $BD = \dfrac{2}{3} AB$ であるから、

$$S_3 = \dfrac{1}{5} \times \dfrac{2}{3} \triangle ABC = \dfrac{2}{15}$$

したがって、

$$S_1 : S_2 : S_3 = \dfrac{1}{5} : \dfrac{4}{15} : \dfrac{2}{15} = 3 : 4 : 2$$

正答……5

136 図は1辺が8cmの正方形の中に、その1辺を直径
とする円弧を二つ描いたものである。この図の斜
線部分の面積はいくらか。

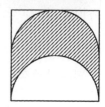

1　　4π cm²
2　　8π cm²
3　　32 cm²
4　　45 cm²
5　　16π cm²

137 図のように、半径12cmの円を四等分したおうぎ形の内部に、この円の
半径を直径とする半円が二つ描かれているとき、斜線部分の面積はおよ
そいくらか。

[警察官]

1　　9 cm²
2　　12 cm²
3　　16 cm²
4　　21 cm²
5　　27 cm²

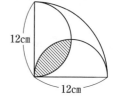

138 1辺の長さが2aの正方形がある。図のように、正方
形の周囲に正方形の1辺を直径とする半円と正方形
の外接円を描く。
このとき斜線部分の面積として正しいのはどれか。

[市町村]

1　　πa^2
2　　$2a^2$
3　　$2\pi a^2$
4　　$4a^2$
5　　$4\pi a^2$

139 図は正方形でE、FはABをH、IはCDをそれぞれ三等分する点、GはBCをJはADをそれぞれ二等分する点である。

　これらの点を結んでつくった次の三角形のうち一つだけ面積が異なるのはどれか。

[県・政令都市]

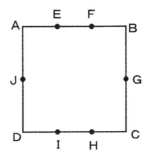

1　△DEF
2　△BEG
3　△BDJ
4　△DGH
5　△AHI

140 長方形の花壇がある。長辺と短辺をそれぞれ3等分する点を結んで、図のように区分し、赤、白、青、黄の4色の花を植えることにした。白い花と青い花を植える区分の面積比はいくらか。

[県・政令都市]

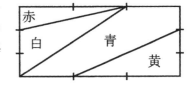

```
　　白　　青
1　1 ： 2
2　2 ： 3
3　3 ： 4
4　3 ： 5
5　4 ： 5
```

II 数的推理図形

141 長方形 ABCD の対角線 AC 上に AE = CF = $\frac{1}{6}$ AC となるような点 E、F をとる。BE が AD と交わる点を G、DF が BC と交わる点を H とすると、平行四辺形 GBHD の面積と長方形 ABCD の面積の比はいくらか。

[市町村]

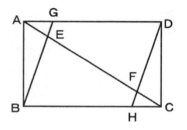

1　2 : 3
2　3 : 4
3　3 : 5
4　4 : 5
5　5 : 6

142 縦 12 m 横 15 m の長方形の敷地内に図のように私道を設けると道幅はいくらになるか。

[県・政令都市]

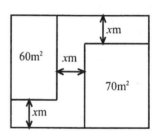

1　1 m
2　1.2 m
3　1.5 m
4　1.8 m
5　2 m

143 図のような長方形の一部が欠けた畑
ABCDE がある。この畑の面積を A
を通る直線 AF で 2 等分すると、CF
の長さはいくらになるか。

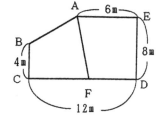

1　　7 m
2　7.5 m
3　　8 m
4　8.5 m
5　　9 m

144 図のように長方形の相対する辺を 3 等分
する点と 4 等分する点を結んでできる斜
線の部分の面積は、元の長方形の面積の
どれだけに当たるか。　　　[県・政令都市]

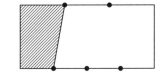

1　$\dfrac{2}{7}$

2　$\dfrac{4}{13}$

3　$\dfrac{5}{18}$

4　$\dfrac{7}{24}$

5　$\dfrac{11}{36}$

立体の体積と表面積

まとめ

① **立方体**
   （体　積）　$V = a^3$
   （表面積）　$S = 6a^2$

① （立方体）

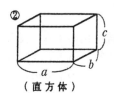

② （直方体）

② **直方体**
   （体　積）　$V = abc$
   （表面積）　$S = 2(ab + bc + ca)$

③ **角　柱**
   （体　積）　$V = Sh$
   （表面積）　底面積 $\times 2$ ＋側面積

④ **円　柱**
   （体　積）　$V = \pi r^2 h$
   （表面積）　$S = 2\pi r^2 + 2\pi rh$

⑤ **角すい**
   （体　積）　$V = \dfrac{1}{3} Sh$
   （表面積）　底面積＋側面積

⑥ **円すい**　　　l：母線

　　（体　積）　$V = \dfrac{1}{3}\pi r^2 h$

　　（表面積）　$S = \pi r^2 + \pi r l$

⑦ **球**

　　（体　積）　$V = \dfrac{4}{3}\pi r^3$

　　（表面積）　$S = 4\pi r^2$

練 習 ●

① 底面積 26 cm²、高さ 12 cm の角すいの体積はいくらか。

② 底面の半径 6 cm、高さ 8 cm で母線の長さが 10 cm の円すいの体積を求めよ。

③ 図のような球の体積を求めよ。

④ 次の円すいの展開図において、側面のおうぎ形の中心角は何度か。

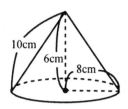

⑤ 次図は円すいの展開図であるが、この円すいの母線の長さを求めよ。

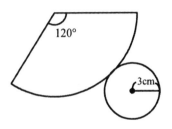

例　題

図のように1辺6cmの正方形を、実線にそっ
て折って立体をつくると、その体積はいくらに
なるか。　　　　　　　　　　　　　　[市町村]

1　9 cm^3
2　13.5 cm^3
3　18 cm^3
4　27 cm^3
5　9$\sqrt{2}$ cm^3

解　説

展開図を組み立てると、右図のような三角すいになる。

$$V=\frac{1}{3}\times\frac{1}{2}\times 3 \times 3 \times 6 = 9\,(\text{cm}^3)$$

正答……1

演 習

145 紙を切り抜いて図のような円すいを作った。このとき切り抜いたおうぎ形の紙の中心角は何度か。ただし、のりしろは考えないものとする。

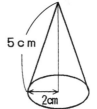

1　105°
2　118°
3　131°
4　144°
5　157°

146 図1に示す展開図を切り抜いて張り合わせると、底面の半径が5cm、高さが12cmの直円すい（図2）ができるという。図1中のxとyの値の組合せとして正しいものはどれか。なお、図1の展開図ではのりしろは省略してある。

図1

	x	y
1	128.6	13
2	138.5	13
3	143.4	13
4	128.6	14
5	138.5	14

図2

図のように、底面が1辺200mの正方形で、稜線も200mである正四角すいのピラミッドがある。このピラミッドの体積はおよそいくらか。 ［国家一般］

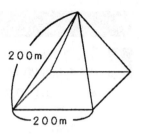

1   1,886,000 m³
2   1,991,000 m³
3   2,097,000 m³
4   2,203,000 m³
5   2,309,000 m³

 半径の等しい円柱筒Aと円すい筒Bとは高さが36cmで等しい。Bに深さ18cmの所まで水を入れたとき、この水をAに入れると深さは何cmになるか。 ［海上保安等］

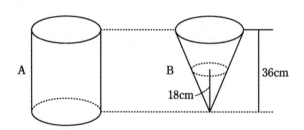

1   1.5 cm
2   2.0 cm
3   2.5 cm
4   4.5 cm
5   5.0 cm

149
図は、長方形の形をした土地である。そして
AとBに二つに区分けされている。Aの部分
は道路より3m高く、Bの部分は道路より
5m高い。この長方形の土地を水平にして平
らにした時、道路よりおよそ何m高くなるか。

[警察官]

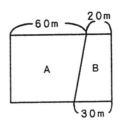

1　3.2 m
2　3.4 m
3　3.6 m
4　3.8 m
5　4.0 m

一辺の長さが a の立方体の各面の対角線の交点を頂点とする図のような
立体がある。この立体の体積はいくらか。

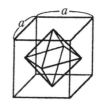

1　$\dfrac{1}{6}a^3$

2　$\dfrac{1}{5}a^3$

3　$\dfrac{1}{4}a^3$

4　$\dfrac{1}{3}a^3$

5　$\dfrac{1}{2}a^3$

151
図のような直角三角形 ABC がある。辺 AC を軸と
してこれを1回転させてできる立体の体積はいくら
か。ただし円周率はπとする。

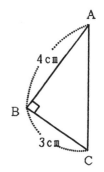

1　 8.4π cm³
2　 9.6π cm³
3　10.8π cm³
4　12.0π cm³
5　13.2π cm³

II - 4

角度

出題頻度 ★

まとめ

① 対頂角

2直線が交わるとき4つの角ができるが、向かいあった角を対頂角という。対頂角はつねに等しい。

② 平行線と角

(1) 同位角……右図で、∠a と∠e、∠b と∠f のような関係にある2つの角。

(2) 錯角………右図で、∠d と∠f、∠c と∠e のような関係にある2つの角。

平行な2直線に1直線が交わるとき、次のア、イのことがいえる。

ア 同位角は等しい。　　イ 錯角は等しい。

③ 三角形の角

(1) 三角形の内角の和は2直角である。

$$∠A + ∠B + ∠C = 2∠R$$

(2) ∠Cの外角は∠Aと∠Bの和に等しい。

$$∠ACD = ∠A + ∠B$$

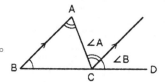

④ 多角形の角

(1) n 角形の内角の和 $= 180° × (n - 2)$

n 角形の内角の和は、1つの頂点から引いた対角線によって分けられた三角形の個数によりわかる。

（例）

180°×2 = 360°

180°×3 = 540°

180°×4 = 720°

(2)　n 角形の外角の和 $= 360°$

⑤　円周角

円周上の 1 点を通る 2 本の弦によって、できる角を円周角という。

同じ弧に対する円周角はすべて等しく、その大きさは同じ弧に対する中心角の半分に等しい。

弧 AB が半円に等しいときは、円周角 APB は直角。

$$\angle P_1 = \angle P_2 = \angle P_3 = \frac{1}{2}\angle AOB$$

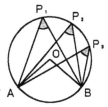

⑥　円と四角形

(1)　四角形 ABCD は円に内接する　⇔　$\angle A + \angle C = 2\angle R$

(2)　四角形 ABCD は円に内接する　⇔　$\angle DCE = \angle A$

(3)　四角形 ABCD は円に内接する　⇔　$\angle BAC = \angle BDC$

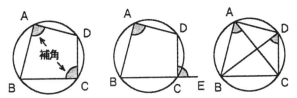

⑦　接弦定理

弦 AB と B における接線 BX とのつくる角 $\angle ABX$ は弧 AB に対する円周角に等しい。

BX が接線　⇔　$\angle ABX = \angle APB$

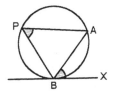

① 右図のように、3つの直線が1点で交わって角を
つくっているとき、∠x の大きさを求めよ。

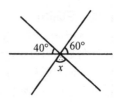

② 右の図で、l // m のとき、∠x の大きさを求めよ。

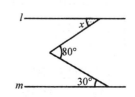

③ 右の図で、l // m のとき、∠x、∠y の大き
さを求めよ。

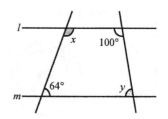

④ 次の(1)〜(3)の図において、それぞれ∠x の大きさを求めよ。

(1) 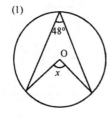 (2) 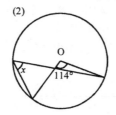 (3)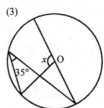

⑤ 右図において、点 C、D はそれぞれ AB を直
径とする半円の弧上にある。

∠CAB = 50° のとき、∠CDA の大きさを求
めよ。

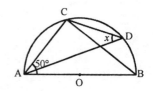

⑥　右図の円で、四角形 ABCD は円に内接し、
　∠DAC＝33°、∠DCA＝49° とするとき、次の各問
　いに答えよ。

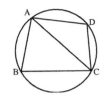

　(1)　∠ADC を求めよ。
　(2)　∠ABC を求めよ。

⑦　右図のように、円 O の弦 AB の一端 A で円 O に
　接する接線 ST をひき、BO の延長との交点を C と
　する。
　　∠SAB＝68° のとき、∠ABC の大きさを求めよ。

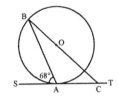

―― 例　題 ――

正五角形の1つの内角は何度か。　　　　　　　　　　[県・政令都市]

1　98°　　　2　104°　　　3　108°　　　4　116°　　　5　126°

■■■ 解　説 ■■■

　n 角形の内角の和は、1つの頂点から対角線を引いて分けら
れた三角形の個数によってわかる。

　図のように1つの頂点 A から対角線は2本引くことができ、
それにより3つの三角形に分けられる。したがって、内角の
和は、$180° \times 3 = 540°$

　5つの角があるから、1つの内角は、$540° \times \dfrac{1}{5} = 108°$

正答……3

図において、PQ、QR は円 O の二つの弦で PQ ＝ QR である。また PS は点 P における円 O の接線である。いま∠SPQ ＝ 55° とすると ∠PQR は何度か。

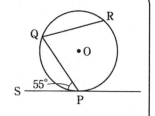

| 1 | 35° | 2 | 45° | 3 | 60° | 4 | 70° | 5 | 85° |

解 説

接弦定理より、∠SPQ ＝ ∠PRQ ＝ 55°

PQ ＝ QR より、△PQR は二等辺三角形だから、

∠QPR ＝ ∠PRQ ＝ 55°

∠PQR ＝ 180° － 55° × 2 ＝ 70°

正答……4

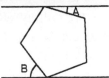

演 習

152 下図のように正五角形が 2 本の平行線に接しているとき∠A が 20° とすると∠B は何度か。

[県・政令都市]

1 52°

2 54°

3 56°

4 58°

5 60°

153 図のような任意の五つの点を、直線で結んでできた図形の∠A＋∠B＋∠C＋∠D＋∠E は何度か。

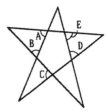

1 180°
2 270°
3 360°
4 450°
5 540°

 154 正方形の紙 ABCD を B と D で一点があうように折ったところ、図のようになり、∠QAD ＝28° であった。このとき∠QPC は何度か。

[市町村]

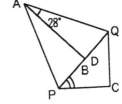

1 34°
2 33°
3 32°
4 31°
5 30°

 155 下の図で∠ACE＝60°、∠ABC＝48°、∠ACB＝72°、∠ABD＝∠CBD である。このとき、∠BEC は何度になるか。

[県・政令都市]

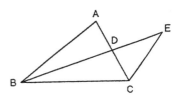

1 15°
2 18°
3 24°
4 30°
5 36°

156 右図のような二等辺三角形 ABC がある。AD＝DE＝EB＝BC のとき、∠BAC の角度として、最も近い値は次のうちどれか。　[県・政令都市]

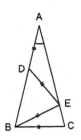

1　23.5°
2　25.7°
3　27.9°
4　30.1°
5　32.3°

157 次の図は、扇形と半円を組み合わせたもので、AB＝DE である。斜線部分 P, Q, R, S の面積に関して、(P＋Q)＝(R＋S) であるとき、∠BAC の角度として正しいものはどれか。　[県・政令都市]

1　30°
2　45°
3　60°
4　75°
5　90°

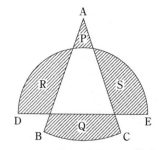

158 円周上に、円周の 4 分の 1 の長さの円弧 (その両端をそれぞれ B、C とする) をとり、その円弧上に任意の点 A をとる。図のように点 A と円弧の両端 B、C とを直線で結んでできる∠BAC は何度か。　[市町村]

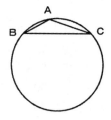

1　127.5°
2　135°
3　142.5°
4　150°
5　157.5°

159 図のように円に内接する等脚台形 ABCD
（AD∥BC）において∠A の二等分線が円周に交
わる点を E、DC の延長線上の点を F とする。
∠B が 80° のとき∠ECF は何度になるか。

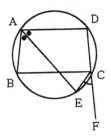

［国家一般］

1　40度
2　45度
3　50度
4　55度
5　60度

円の性質

まとめ

① 円と接線

(1) 接線は、接点を通る半径に垂直である。

$$OT \perp l$$

(2) 円外から引いた接線の長さは等しい。

$$PA = PB \qquad \angle APO = \angle BPO$$

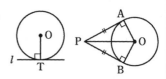

② 内接円

三角形の3辺に接する円を、この三角形の内接円という。

$$ID = IE = IF$$

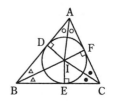

③ 外接円

三角形の3つの頂点を通る円を、この三角形の外接円という。

$$OA = OB = OC$$

④ 重 心

△ABC の3中線 AD、BE、CF は1点 G で交わる。G を重心という。このとき、AG = 2GD、BG = 2GE、CG = 2GF である。

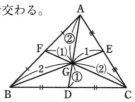

⑤　方べきの定理

(1)　円の２つの弦、AB、CD、またはそれらの延長の交点をPとすると、

$$PA \cdot PB = PC \cdot PD$$

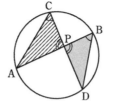
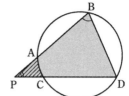

(2)　円Oの外部の点Pから円Oに引いた接線の接点をTとする。Pを通り円Oと２点A、Bで交わる直線を引くと

$$PA \cdot PB = PT^2$$

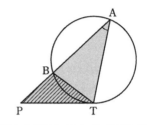

◆練 習◆ ●

①　右図のように、円Oが△ABCに内接しており、D、E、Fは接点である。辺ACの長さを求めよ。

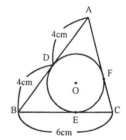

②　右の図で、点Oが△ABCの外心であるとすると、∠x、∠yの大きさを求めよ。

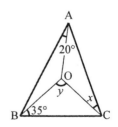

③　右図のような△ABC で、点 I を内心、∠A ＝ 40° とすると、∠BIC の大きさはいくらか。

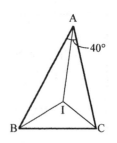

④　図のように円 O と円 O′ に共通外接線 AB をひく。A、B は接点とするとき、線分 AB の長さを求めよ。ただし、円 O の半径を 3 cm、円 O′ の半径を 8 cm、OO′ の距離を 13 cm とする。

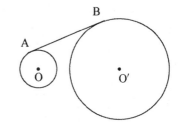

⑤　図のように四角形 ABCD が円に内接している。AC、BD の交点を E、点 C を通る外接円の接線と BD の延長との交点を P とする。
　BP ＝ 7、EB ＝ 3、EC ＝ 6、ED ＝ 4 であるとすると、AE、CP の長さはいくらか。

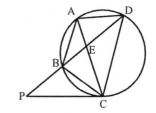

例　題

底辺 AB ＝ 4 cm、OA ＝ OB ＝ 6 cm の二等辺三角形 OAB の内接円の半径はおよそいくらか。　　　　　　　　　　　　　　[県・政令都市]

1　1.3 cm
2　1.4 cm
3　1.5 cm
4　1.6 cm
5　1.7 cm

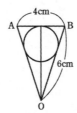

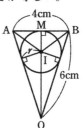

解 説

内心と各辺の接点まで引いた線分は、各辺と垂直であり、長さが等しい。

内心 I と各接点を結ぶとその長さはそれぞれ内接円の半径となる。また I と各頂点を線分で結ぶと、3 つの三角形 △IAO、△IOB、△IBA に分かれる。O から AB に引いた垂線の足を M とすると、BM = 2 cm だから、

$$OM = \sqrt{6^2 - 2^2} = \sqrt{36 - 4} = \sqrt{32} = 4\sqrt{2} \text{ cm である。}$$

したがって内接円の半径を r cm とおくと、

$$\frac{1}{2} \times 6 \times r + \frac{1}{2} \times 6 \times r + \frac{1}{2} \times 4 \times r = \frac{1}{2} \times 4 \times 4\sqrt{2}$$

$$\frac{r}{2}(6 + 6 + 4) = 8\sqrt{2}$$

$$8r = 8\sqrt{2} \qquad \therefore r = \sqrt{2} \fallingdotseq 1.4$$

正答……2

II 数的推理 図形

演 習

160 図のように BC = 12、AC = 5 の直角三角形の内接円の直径の長さはどれか。

[国家一般]

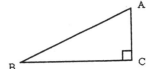

1　4.5
2　4
3　3.5
4　3
5　2.5

161 図のような直角三角形の内接円の半径はいくらか。

[国家一般]

1　5.8 cm
2　6.0 cm
3　6.4 cm
4　6.8 cm
5　7.0 cm

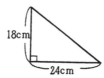

162 下図のような直角三角形に半円が内接しているとき、この半円の直径はいくらか。ただし小数点以下第2位を四捨五入するものとする。

［県・政令都市］

1　11.3 cm
2　11.5 cm
3　11.7 cm
4　11.9 cm
5　12.1 cm

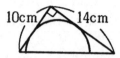

163 1辺が 10 cm の正方形の中に、同半径の2つの円が図のように接している。この円の半径を求めよ。

［県・政令都市］

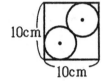

1　$5(2-\sqrt{2}\,)$ cm
2　$5(2+\sqrt{3}\,)$ cm
3　$\dfrac{5}{2}\sqrt{2}$ cm
4　$2\sqrt{2}$ cm
5　2.5 cm

右図のように、半径 r の小円が3つ互いに外接している。
さらに、これら3つの小円に外接するように、大円を
描くとき、大円の半径を次から選べ。　　　[警察官]

1　$\left(\dfrac{\sqrt{2}}{3}+1\right)r$

2　$(\sqrt{2}+1)r$

3　$\left(\dfrac{3\sqrt{2}}{2}+1\right)r$

4　$\left(\dfrac{\sqrt{3}}{2}+1\right)r$

5　$\left(\dfrac{2\sqrt{3}}{3}+1\right)r$

Aを中心とする半径1 cm の円と、
Bを中心とする半径4 cm の円があ
る。AとBの距離は6 cm である。
円Aと円Bの共通接線を引き、交
点をC、D、E、Fとおく。図中の
斜線部の面積について正しいものを
選べ。　　　[裁判所]

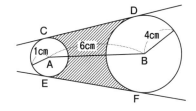

1　$12\sqrt{3}-4\pi$

2　$14\sqrt{3}-5\pi$

3　$15\sqrt{3}-6\pi$

4　$16\sqrt{3}-\dfrac{2}{3}\pi$

5　$18\sqrt{3}-6\pi$

II
数的推理図形

166 図のようにA、B、Cの三つの円を、各円が互いに接するように直線上に並べた。このときの距離 l はいくらになるか。なお、Aの半径は1 cm、Bの半径は2 cm、Cの半径は4 cmである。

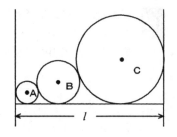

［国家一般］

1 $5+3\sqrt{3}$ cm
2 $5+4\sqrt{3}$ cm
3 $5+4\sqrt{2}$ cm
4 $5+5\sqrt{2}$ cm
5 $5+6\sqrt{2}$ cm

167 次の図のように、円外の点Aを通る直線が円と交わる点をB、Cとする。AB＝BC＝4 cmのとき、Aからこの円に引いた接線APの長さとして正しいものはどれか。

1 $2\sqrt{5}$ cm
2 $2\sqrt{6}$ cm
3 $4\sqrt{2}$ cm
4 $4\sqrt{3}$ cm
5 $5\sqrt{2}$ cm

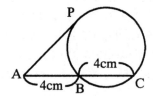

II - 6

図形の相似

II 数的推理図形

まとめ

① 平行線と線分

　DE∥BC ならば、次の比例式が成り立つ。

(1) AD : AE = DB : EC

(2) AB : DB = AC : EC

(3) AB : AD = AC : AE = BC : DE

(1) 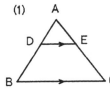　(2) 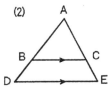　(3)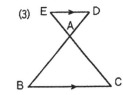

② 中点連結定理

(1) AD = DB、AE = EC ならば

$$DE \parallel BC、DE = \frac{1}{2}BC$$

(2) AD = DB、DE∥BC ならば

$$AE = EC、DE = \frac{1}{2}BC$$

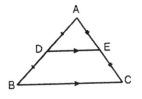

③ 相似な図形の面積比

　相似な図形の面積比は相似比の 2 乗に等しい。

（例）　右の図で五角形 ABCDE ∽ 五角形 A′B′C′D′E′ のとき、相似比が $m : n$ ならば、面積の比は $m^2 : n^2$

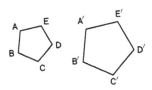

109

④　相似な立体の表面積と体積
　(1)　表面積
　　　相似な立体の表面積の比は、相似比の2乗に等しい。
　　(例)　円柱P∽円柱Qのとき、相似比が
　　　　　$m:n$ ならば、表面積の比は $m^2:n^2$
　(2)　体積
　　　相似な立体の体積の比は、相似比の3乗に等しい。
　　　相似比が $m:n$ ならば、体積の比は $m^3:n^3$

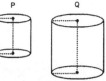

練　習　●●●●●●●●●●●●●●●●●●●●●●●●●●●●●●●●●●●●●●

①　右の図で、DE∥BCのとき、x、yの値を求めよ。

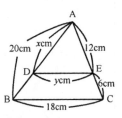

②　右図で、AB∥CD∥EFであるとき、x、yの値
　を求めよ。

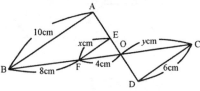

③　右の図のように、△ABCの辺AB、AC上に、
　それぞれ点D、Eをとり、BC∥DE、AD：DB＝
　2：1とする。△ADEの面積が、30 cm² とすると、
　△ABCの面積はいくらか。

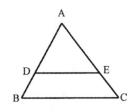

④　右の図のような円すいの容器がある。この容
　器の高さ20 cmのところまで水をいれたとす
　ると、この水の体積は、容器の容積の何分のい
　くつになるか。

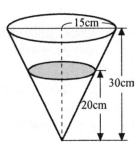

110

例題

B = 90° である直角三角形 ABC において、AB = 12 cm、BC = 16 cm である。B から辺 AC に引いた垂線の足を D とするとき、CD の長さとして正しいものは、次のうちどれか。 [県・政令都市]

1 12.4 cm
2 12.6 cm
3 12.8 cm
4 13.2 cm
5 13.4 cm

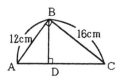

解説

相似の図形をうまく見つけることが重要である。上のような図形は必ず相似形がでてくる典型パターンである。

△ABC において、直角をはさむ 2 辺の比が、AB : BC = 3 : 4 であるから、

$$AB : BC : CA = 3 : 4 : 5$$

の比になる。

また △ABC ∽ △BDC であるから、

$$AB : BC : CA = BD : DC : CB = 3 : 4 : 5$$

DC : CB = 4 : 5 で、CB = 16 cm だから

$$DC = \frac{4 \times 16}{5} = 12.8 \text{ cm}$$

正答……3

例題

一辺の長さが 5 cm の正三角形の面積は、一辺の長さ 3 cm の正三角形の面積の何倍になるか。 [刑務官]

1 $2\frac{3}{4}$ 倍　　2 $2\frac{4}{5}$ 倍　　3 $2\frac{5}{6}$ 倍　　4 $2\frac{6}{7}$ 倍　　5 $2\frac{7}{9}$ 倍

解説

相似な図形の面積比は、相似比の 2 乗であることを使えば、簡単に計算できる。相似比は、5 : 3 であるから、面積比は $5^2 : 3^2 = 25 : 9$ である。

したがって、$\frac{25}{9} = 2\frac{7}{9}$ 倍

正答……5

168 図は A から F の6地点を結ぶ道路を示したもので、B は AC のちょうど中間、D は CE のちょうど中間、F は EA のちょうど中間にあたり、AC、CE、EA の距離はそれぞれ異なっている。次の5通りの道順のうち、距離が1つだけ異なるものがあるが、それはどれか。 [警察官]

1　A－B－F－E－D
2　B－A－F－E－D
3　C－B－F－E－D
4　E－D－B－F－D
5　E－D－C－B－D

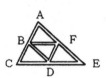

169 右の台形 ABCD について、AD = 6 cm、BC = 10 cm、$\dfrac{AE}{EB} = \dfrac{7}{3}$、EF // BC である。このとき PQ の長さを求めよ。

1　4.6 cm
2　4.8 cm
3　5.0 cm
4　5.2 cm
5　5.4 cm

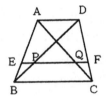

170 A4 版の紙を二等分した大きさの紙を A5 版といい、A4 版と A5 版の紙は相似形である。これらの紙の長辺と短辺の長さの比はいくらか。

[市町村]

1    $2:1$
2    $3:1$
3    $\sqrt{2}:1$
4    $\sqrt{3}:1$
5    $\dfrac{\sqrt{3}}{2}:1$

171 扇形の花壇がある。この花壇を図のように点 O を中心とする同心円によって四つの部分に分けて、それぞれ大きさの同じ異なる種類の花を植えるとき、同じ密度で植えるとすれば、A の部分に植える花の数は B の部分に植える花の数の何倍か。ただし、OP、PQ、QR、RS の長さはすべて等しいものとする。　[国家一般]

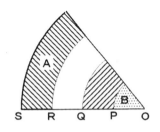

1   4 倍
2   5 倍
3   6 倍
4   7 倍
5   8 倍

172 直径 1 m と直径 50 cm の二つの鉄球を溶かして直径 10 cm の鉄球を作ると、何個できるか。ただし、溶かした鉄は全部使えるものとする。

1   225 個
2   450 個
3   900 個
4   1125 個
5   1500 個

173 相似な円柱 A，B がある。円柱 A の側面積は 180 cm²、体積は 240 cm³
で、円柱 B の側面積は 405 cm² である。円柱 B の体積はいくらか。

［県・政令都市］

1　240 cm³
2　360 cm³
3　540 cm³
4　690 cm³
5　810 cm³

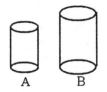

174 花壇を作ることになり、まず地面を長
方形に区切ってバラを植えた。次のそ
の外側に、四辺ともバラの部分のちょ
うど2倍の長方形の地面を区切り、そ
こにベゴニアを植えた。さらにその外
側に四辺ともバラの部分の3倍の長方
形の地面を区切って、パンジーを植えた。

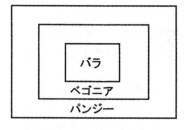

　バラ、ベゴニア、パンジーを植えた部分の面積比として正しいのは次
のどれか。

［警察官］

1　1：2：4
2　1：3：5
3　1：3：7
4　1：4：8
5　1：4：9

175 大きさの異なる6枚の直角二等辺三角形の紙を重ならないように並べて
図のような一つの直角二等辺三角形を作った。このとき図の A と B の
紙の面積比はいくらか。

1　 6：5
2　 7：6
3　 8：7
4　 9：8
5　10：9

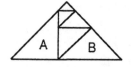

II - 7

最短距離

出題頻度 ★

例 題

下図は直方体であるが、A点からE点まで直方体の辺、面上を通ってい
く最短の道のりを求めよ。ただし、AB = 5 cm、BD = 3 cm、BC = 6 cm
とする。

1　10.0 cm
2　10.5 cm
3　11.0 cm
4　11.5 cm
5　12.0 cm

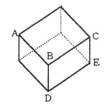

II
数的推理図形

解 説

　図のように展開図上でAとEを直線で結んだ長さ
が最短の道のりである。
　直角三角形ADEに注目して、三平方の定理を用い
ればよい。

$$AE = \sqrt{8^2 + 6^2} = \sqrt{100} = 10 \text{ cm}$$

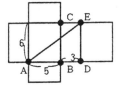

正答……1

115

176 右図のような直方体の太い線の部分、ABCD、AGH、CEF の長さについて正しい関係を下から選べ。ただし、AGH は直方体の表面を通って A から G を通り H までの最短距離であり、CEF は同様に表面を通り、C から E を通り F までの最短距離である。　[警察官]

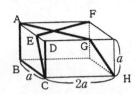

1　AGH < ABCD < CEF
2　AGH < CEF < ABCD
3　ABCD < CEF < AGH
4　CEF < ABCD < AGH
5　CEF < AGH < ABCD

177 図のようにプレゼント用の直方体の箱にリボンを掛けたい。このときのリボンの最短の長さはおよそいくらか。ただし、リボンの結び目の長さは含まない。　[国家一般]

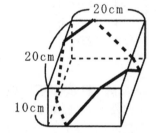

1　80 cm
2　85 cm
3　90 cm
4　95 cm
5　100 cm

178
図のような小立方体24個からなる直
方体がある。その表面に糸をかけて点
Pと点A、点B、点Cとを、それぞれ
最短距離で結んだ2点間の長さをa、
b、cとするとき、これについての記
述が正しいものはどれか。

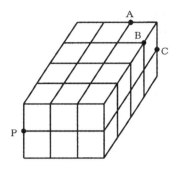

1　a、b、cはすべて等しい。
2　aとbは等しいが、cは異なる。
3　aとcは等しいが、bは異なる。
4　bとcは等しいが、aは異なる。
5　a、b、cはすべて異なる。

Ⅱ
数的推理図形

179
底円の半径5cm、母線の長さ10cmの円すい上に右
図のように2点A、Bがある。円すい上でA、Bを
結ぶ最も短い長さは、次のうちどれか。　　［裁判所］

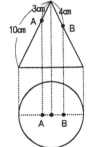

1　　4cm
2　　5cm
3　5.5cm
4　　6cm
5　6.5cm

180 図のような AB＝4cm、AD＝5cm、AE＝6cm の直方体がある。直方体の頂点 A から頂点 G に糸の長さが最短になるように糸を張った。糸の張り方は、

① 辺 BC を通過する張り方
② 辺 BF を通過する張り方
③ 辺 EF を通過する張り方

があるが、糸の長さを短いものから順に並べたのはどれか。 ［国家一般］

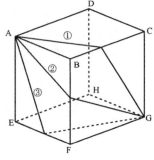

1 ①＜②＜③
2 ①＜③＜②
3 ②＜①＜③
4 ②＜③＜①
5 ③＜②＜①

III

資料解釈

指数

例題

図は企業 A、B、C の売上高をそれぞれ 2014 年を 100 として示したものである。この図から正しくいえることは、次のうちどれか。

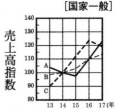

[国家一般]

1　企業 B の利益額は毎年増えている。
2　企業 A と企業 B の 2016 年の売上高は等しい。
3　企業 A では 2017 年の売上高は 2013 年の約 1.3 倍になっている。
4　2017 年の売上高が 2013 年に比べて最も大きな倍率となっているのは企業 C である。
5　2015 年から 2016 年にかけて売上げの増加額が最も大きかったのは企業 C である。

解説

指数は、基準の数値を 100 として他の数値を表したものである。

例えば、ある商店の 4 月の売上高が 500 万円で、10 月の売上高が 750 万円とする。このとき、4 月の売上高を 100 とし、10 月の指数を x とすると、

$500 : 750 = 100 : x$

$\therefore x = \dfrac{750 \times 100}{500} = 150$ となる。

【例題】の場合、基準の年の実数値が示されていないときには、他の年の実数値も指数からだけではわからない。

ある 1 つの企業の売上高が年ごとにどのように変化したかを見るには指数でよいが、異なる企業の間で、実際の売上高を比べようとしてもそれは一切できない。

1 誤り。この図は売上高の表であり「利益額」は不明。

2 誤り。実数値(売上高)が示されていないので不明。

3 誤り。倍率比較は指数からでも可能。しかし $\frac{125}{105} \fallingdotseq 1.2$ 倍で約 1.3 倍では

ない。

4 正しい。倍率比較は可能。正確な計算ではなく、まずは概算でしてみる。

$$A : \frac{125}{105} \fallingdotseq 1.2(倍) \qquad B : \frac{113}{98} \fallingdotseq 1.1(倍) \qquad C : \frac{118}{90} \fallingdotseq 1.3(倍)$$

で企業 C が最も大きい倍率になっている。

なお、C は B より分母が小さくかつ分子が大きいので、計算をするまで

もなく、C の方が大きいとわかる。

5 誤り。売上高が分からないので増加額も不明。

正答……4

練 習 ●

　下図は、A 社、B 社の売上高の推移のグラフである (4 月の売上高= 100)。
次の文が正しければ○を、誤っていれば×をつけ、誤りの理由を述べよ。

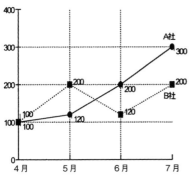

① 7 月の売上高は A 社の方が大きい。

② 5 月の A 社の売上高と 6 月の B 社の売上高は同じである。

③ B 社の 5 月の売上高と 7 月の売上高は同じである。

④ 4 月から 7 月をみると、売上高の増加率は A 社の方が大きい。

Ⅲ 資料解釈

◆ **解法のポイント** ◆◆◆◆◆◆◆◆◆◆◆◆◆◆◆◆◆◆◆◆◆◆◆◆◆◆◆◆◆◆◆◆◆◆

① 資料に、実数値が示されているか否かをみる。

② （実数値なしの場合）

・異なる分野（会社、国等）での、大小比較はできない。

・ただし、異なる分野間でも増加率や倍率は大小比較できる。

③ （実数値ありの場合）

・計算が必要となるので、暗算、概算でおこなう（Ⅲ－4 実数参照）。

演 習

181 A～Cの三つの営業所を持つ会社がある。表は、1月の各営業所の売上高を 100 として各営業所の売上額の推移を示したものである。この表から確実にいえることとして正しいのはどれか。 [警察官]

	A	B	C
1 月	100	100	100
2 月	160	120	80
3 月	180	140	80

1 1月を 100 とした、2月における会社の売上総額は 360 である。

2 2月における C 営業所の売上額は A 営業所のちょうど半分である。

3 この 3 か月間の総売上額が最も少なかったのは C 営業所である。

4 この 3 か月間の中で売上額が最も多かったのは常に A 営業所である。

5 3月の前月に対する売上額の伸び率は、A 営業所より B 営業所のほうが大きい。

182 図はA～E5か国の鉱工業生産額を、2017年を100とした指数で示したものである。これから考えられることとして妥当な記述はどれか。なお、表中Q1～Q4は第1四半期～第4四半期を示す。　　［県・政令都市］

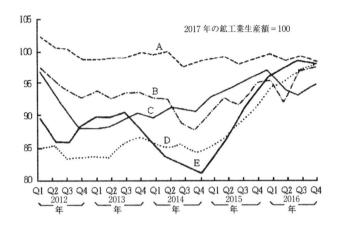

1　2014年のQ4では、E国の鉱工業生産額はA国のそれの8割強であった。

2　2012年のQ1からずっと、A国の鉱工業生産額は5か国中、第1位を保った。

3　2012年のQ1に対する2017年の鉱工業生産額の伸び率が最も大きかったのはD国であった。

4　5年間に5か国の鉱工業生産額の較差はしだいに小さくなった。

5　2017年の鉱工業生産額が、2012年のQ1より低下した国はなかった。

183 ある高校の第1学年（A～E組、5クラス）では、英語、国語、数学の実力テストを1年間に5回実施している。下の表は、各クラスの3教科総合平均点について、1回目を100とした指数で示したものである。この表からいえることとして正しいものは、次のうちどれか。 [裁判所]

	A組	B組	C組	D組	E組
1回目	100	100	100	100	100
2回目	98	97	103	106	101
3回目	112	122	121	108	116
4回目	123	135	139	127	135
5回目	143	159	150	142	153

1　2回目の実力テストの結果について、3教科総合平均点の高い順に並べてみると、D、C、E、A、B組の順となる。

2　4回目の実力テストの結果では、B組とE組の3教科総合平均点が等しいことになる。

3　4回目と5回目の実力テストの結果を比較すると、3教科総合平均点の上昇率が最も低い組はD組である。

4　3教科総合平均点を1度も下げることなく上昇させた組は、C、D、E組である。

5　5回目の実力テストの結果において、3教科総合平均点が最も高かったのは、B組である。

184 表は、A～C国3国の賃金の年齢別格差（製造業・男子）（21～24歳の賃金＝100）を比べたものである。この表からいえることとして妥当なのはどれか。　[県・政令都市]

年齢階層	A国	B国	C国
18歳未満	68.9	60.9	61.0
18～20歳	81.3	72.9	72.3
21～24歳	100.0	100.0	100.0
25～29歳	122.1	130.0	133.3
30～34歳	151.0	148.4	162.4
35～39歳	181.5	155.2	176.0
40～44歳	212.4	156.5	185.6
45～49歳	240.5	151.3	187.7
50～54歳	256.4	148.3	183.1
55～59歳	236.7	143.9	174.1
60歳以上	169.5	142.9	175.8

1　18歳未満の賃金の額が最も高いのはA国である。
2　B国は、年齢による賃金の格差が他の国に比べて小さい。
3　賃金が最高に達する年齢が最も早いのはC国である。
4　賃金が最高に達した後、低下する度合いが最も大きいのはB国である。
5　A国の30～34歳の賃金の額は、B国の45～49歳の賃金の額とほぼ同じである。

185 表はある国の全産業の就業者数の推移を製造業と非製造業、都市圏と全国に分けて、2005年を100として示したものである。この表から確実にいえるのはどれか。

［国家一般］

年		2005	2010	2015	2017
製造業	都市圏	100	93.8	92.7	98.1
	全　国	100	96.7	96.8	102.1
非製造業	都市圏	100	111.5	112.8	136.0
	全　国	100	103.5	110.4	115.1
全産業	都市圏	100	105.9	113.4	124.1
	全　国	100	101.7	106.8	111.7

（全国は都市圏を含む）

1 都市圏の就業者数はどの年も製造業のほうが非製造業よりも少ない。
2 全国の就業者数はどの年も製造業のほうが非製造業よりも少ない。
3 製造業就業者数に占める都市圏の割合は2015年には2005年に比べて拡大した。
4 非製造業就業者数に占める都市圏の割合は2017年には2010年に比べて縮小した。
5 全産業就業者数に占める都市圏の割合は一貫して拡大した。

増加率

例　題

図はある年の2月～6月までの商品Aおよび商品Bの販売量の対前月増減率を示したものである。これから確実にいえるのはどれか。

[県・政令都市]

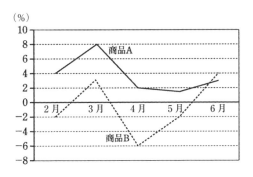

1　商品Aについてみると、5か月間では3月の販売量が最も多かった。

2　商品Aについてみると、6月の販売量は1月のそれより15%以上増加した。

3　商品Bについてみると、この5か月間では4月の販売量が最も少なかった。

4　商品Bについてみると、6月の販売量は1月のそれよりも多かった。

5　商品Bの販売量は、6月において商品Aの販売量を上回っている。

解　説

増減率とは、ある期間に増加あるいは減少した割合を示すもので、普通は百分率が用いられる。

例えば、ある都市の人口が、50万人から60万人になったとすると、増加率

は次のように計算される。

$$\frac{60-50}{50} \times 100 = 20(\%)$$

　増加率のグラフの見方には注意する。グラフが右下がりになっていても、プラスにある限りは増え続けている。また同じ商品の大小比較をするには、都合のよい月を100とおいて考える。なお増加率の数値が小さいときには、厳密な計算はせず、足し算・引き算で近似値を出す。

1　誤り。2月から6月まで、増加率はすべてプラスである。すなわち毎月増加中ということがわかる。したがって、販売量が最も多かった月は6月である。

2　正しい。1月の販売量を100とおくと翌月は4%の伸びだから、
100＋4＝104　以下、104＋8＋2＋1.5＋3＝118.5 このように、増加率の数値が小さいときには加減計算で可。ちなみに正確な計算は、
100×1.04×1.08×1.02×1.015×1.03＝119.7 で、加減計算の答えとそれほど違わない。

3　誤り。5月の（対前月）増加率は－2%だから、4月の販売量に比べて減少している。販売量が最も少なかったのは5月である。

4　誤り。1月の販売量を100とおき、2と同様にして計算すると、
100－2＋3－6－2＋4＝97 となり、6月は1月より少ない。

5　誤り。販売量そのものが示されていないので、商品AとBの販売量の大小比較はできない。

正答……2

練　習　●●●●●●●●●●●●●●●●●●●●●●●●●●●●●●●●●

ある市の人口増加率（対前年）

　左図は、ある市の対前年人口増加率である。次の文が正しければ○を、誤っていれば×をつけ、誤りの理由を述べよ。

① 2013年から2016年にかけて、人口は一貫して減り続けている。

② 2012年から2016年の間で、人口が最大の年は2013年である。

③ 2014年と2017年では、人口は同じである。

④ 2014年の人口は2011年のそれの約1.45倍である。

◆ 解法のポイント ◆●●●●●●●●●●●●●●●●●●●●●●●●●●●●●●●●●●●●●●●

① 増加率がプラスならば増え続けている。

② (大小比較の場合)都合のいいところを100とおく。

③ 増加率の値が小さいときは、加減計算で近似値がでる(例題の2、4参照)。

演 習

186 グラフは、2011年から2016年までのある国における国際輸送量の対前年増減率を示したものである。次のア～ウの記述のうちから正しいものをすべて選んでいるのはどれか。　　　　　　　　　　　　　[市町村]

　ア　国際旅客輸送量は2011年以降増え続けている。

　イ　国際航空貨物輸送量は2015年、2016年と減り続けている。

　ウ　外航海運貨物輸送量が前年より増えたのは2015年だけである。

1　ア
2　ウ
3　ア、イ
4　ア、ウ
5　イ、ウ

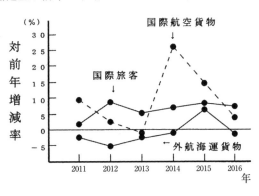

187 表は「光熱・水道」、「家具」、「被服・はき物」、「交通・通信」及び「教育」の五つの費目の消費者物価の対前年上昇率の推移を示したものである。この表から正しくいえるのは次のうちどれか。　[市町村]

(%)

費用＼年	2011	2012	2013	2014	2015
光熱・水道	2.3	0.1	0.7	− 0.3	0.2
家具	0.8	1.2	− 0.2	− 2.0	− 1.8
被服・はき物	4.7	3.1	0.0	− 1.2	− 0.5
交通・通信	0.7	0.5	0.3	− 0.6	0.1
教育	4.8	4.4	4.2	3.2	2.9

1　「被服・はき物」の消費者物価は年々下落している。

2　2015年の消費者物価が2010年のそれに最も近い費目は「光熱・水道」である。

3　2015年の「家具」の消費者物価は2010年のそれより安い。

4　2015年の「交通・通信」の消費者物価は2012年のそれより高い。

5　2015年の消費者物価が最も高い費目は「教育」である。

188 グラフは、ある家庭での 2017 年の支出について、月ごとの支出額と前年同月比増減率（2016 年の同月の支出に対する増減率）を示したものである。これに関するア～ウの記述の正誤を正しく示しているのはどれか。

[県・政令都市]

ア　2016 年 2 月と 2017 年 2 月の支出額は同じである。

イ　2017 年のうち、2016 年に比べて支出が増えた月は、6 か月以上ある。

ウ　2016 年の 5 月と 6 月では 6 月の方が支出が多い。

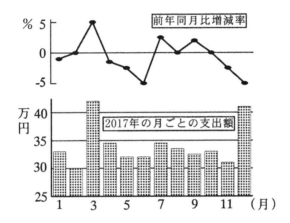

	ア	イ	ウ
1	正	正	正
2	正	正	誤
3	正	誤	正
4	誤	正	誤
5	誤	誤	誤

Ⅲ 資料解釈

下表は、ある市の勤労者世帯の実収入、可処分所得及び消費支出について前の年と比べた変動の割合を示したものである。この表からいえることとして正しいのはどれか。

[警察官]

勤労者世帯の実収入、可処分所得及び消費支出の対前年上昇率（%）

年	実収入 （税込収入）	可処分所得 （手取り収入）	消費支出
2005	−2.9	−1.9	0.4
2006	1.8	0.2	−1.7
2007	1.5	0.7	0.7
2008	0.6	−0.1	1.9
2009	−0.2	−0.7	0.1
2010	0.6	0.2	0.8
2011	−2.9	−4.4	−1.4
2012	5.7	3.2	1.3
2013	0.5	0.2	−1.2
2014	4.4	3.7	3.6
2015	3.9	3.5	0.1
2016	2.8	2.1	2.0
2017	2.9	3.3	2.3

1　2011年の実収入の減少額は2017年の実収入の増加額と同じ金額である。
2　2010年の可処分所得の額は2007年のそれに比べて0.1%ほど多くなっている。
3　2008年における実収入に占める可処分所得の割合は前の年のそれに比べて低くなっている。
4　2011年の消費支出額は2008年のそれに比べて多くなっている。
5　2007年においては、可処分所得の額と消費支出額とは同じであった。

次の図は、ある県の歳入予算における県税、国庫支出金及び県債の対前
年度増加率の推移を示したものである。この図から正しくいえるのはど
れか。

[東京都]

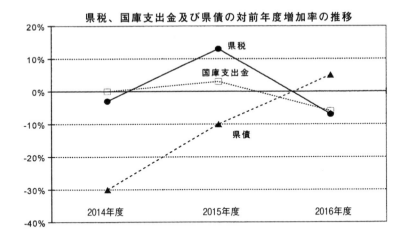

県税、国庫支出金及び県債の対前年度増加率の推移

1　2014年度から2016年度までのうち、県税の額が最も大きいのは
2015年度であり、最も小さいのは2016年度である。

2　2015年度についてみると、県税、国庫支出金及び県債のいずれの
額も前年度を上回っている。

3　2015年度及び2016年度の各年における国庫支出金の額に対する県
債の額の比率は、いずれも前年度を上回っている。

4　県債の前年度に比べた増加額についてみると、2015年度は2016年
度を上回っている。

5　県税の額に対する国庫支出金の額の比率についてみると、2016年
度は2014年度を下回っている。

Ⅲ
資料解釈

III - 3

割合

出題頻度 ★★★

例　題

図は 30 歳未満のサラリーマンの給与の使途別構成比を示したものである。この図から正しく言えることは次のうちどれか。　　　　　　　[国家一般]

1　既婚サラリーマンの衣料費は独身サラリーマンの交際費とほぼ同額である。

2　独身サラリーマンは教養・レジャーに既婚サラリーマンの約3倍の額を支出している。

3　既婚サラリーマンは教養・レジャーの支出の約4倍を貯蓄にあてている。

4　食費には、独身・既婚サラリーマンともほぼ同額を支出している。

5　既婚サラリーマンの住居・光熱費の額は、独身サラリーマンのそれの2倍を超えている。

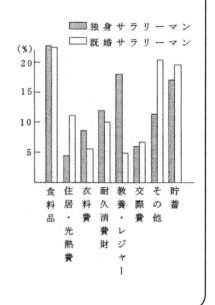

解　説

割合の問題は、百分率（％）の問題が多い。

【例題】では、「独身」と「既婚」とも、それぞれ食料品から貯蓄までの割合（％）を合計すれば、100％になっている。また、それぞれのサラリーマンの給与（実数値）は示されていない。よって、「独身」と「既婚」では、額の大小比較はできない。

134

　1、2、4、5は、いずれも「独身」と「既婚」との額の比較であり、これら
は実数値が示されていないので、比較はできない。

　3は、同じ「既婚」内での教養・レジャー費と貯蓄の比較はできる。

　それぞれ5%、20%の支出であり、$\dfrac{20\%}{5\%}＝4$倍で正しい。

正答……3

練習 ●

　下図は、A高校とB高校の3年生の進路希望調査の結果である。この表を
みて、下記の文が正しければ○を、誤っていれば×をつけ、誤りの理由を述べ
よ。

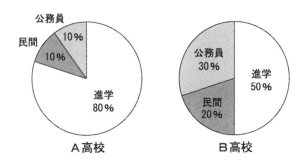

① 　進学希望者数はA高校の方が多い。
② 　B高校では、民間希望者数より公務員希望者数の方が多い。
③ 　公務員希望者数の割合はB高校の方が多い。

◆ **解法のポイント** ◆◆◆◆◆◆◆◆◆◆◆◆◆◆◆◆◆◆◆◆◆◆◆◆◆◆◆◆◆◆◆◆◆◆◆◆

① 　キーワードに着目（問われているのは「実数」か、「割合」か）

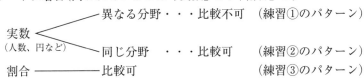

② 　円グラフをイメージする（と分かりやすい）。
③ 　百分率（%）の場合、「どの部分を合計すると100%なのか」をみる。

191 下図は、1965年と2017年についてある国の家計における食費の内訳を比較したものである。この図に関する記述として正しいものは、次のうちどれか。

[国家一般]

食費の内訳（全世帯、年間、％）

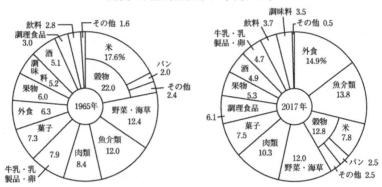

1　2017年の菓子への支出額は1965年のそれより約30％増加している。

2　1965年に比べて2017年の方が支出額が増加しているのは、外食、魚介類、肉類、菓子、調理食品、飲料の6費目である。

3　1965年において魚介類の支出額は果物のそれの2倍であるが、2017年には2.6倍になっており、魚介類の支出額の伸びが大きいことがわかる。

4　食費に占める割合がこの53年間に5割以上増加しているのは、外食、調理食品、飲料の3費目だけである。

5　外食および調理食品が食費に占める割合はこの53年間に2倍以上に増加している。

192 図はある地域における清掃工場建設についての調査結果である。この図からいえることとして正しいのは次のうちどれか。　　　　［警察官］

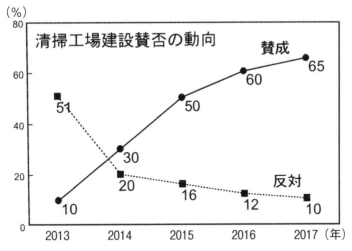

1　2013年における反対者のうち約40％が2017年には賛成の側に移っている。

2　2014年において賛成者の数は、2013年のちょうど3倍に増加している。

3　2013年以降、賛成者の数は、毎年確実に増え続けている。

4　2013年の調査で賛成と答えた人と、2017年の調査で反対と答えた人の数は等しい。

5　2014年以降、賛成・反対どちらとも意思表示をしなかった人の割合は年々減少している。

193 次の図は、ある市における昭和30年から平成37年までの5年ごとの高齢人口、生産年齢人口の全人口に対する比率を示したものである。この図からいえることとして妥当なのはどれか。 [海上保安等]

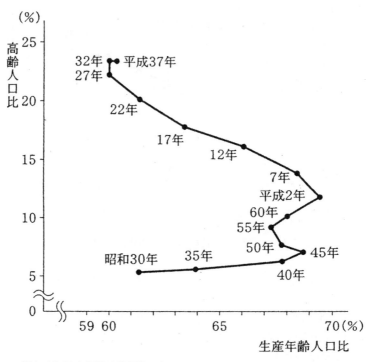

(注)平成32年以降は推測値である。

1 高齢人口は、平成32年には昭和35年のそれのおよそ4倍になる。
2 生産年齢人口と高齢人口のそれぞれを除いたその他の人口が全人口に占める割合をみると、昭和50年から55年までの間の差が最も大きい。
3 この間、生産年齢人口と高齢人口のそれぞれを除いたその他の人口が最も多いのは昭和35年である。
4 この間、生産年齢人口が最も多いのは平成2年である。
5 平成22年には全人口の5人に1人は高齢人口に属する。

あるデパートでは、A～Fの6社からスカートを仕入れている。図は、スカートの仕入総額に占める各社の仕入額割合及び各社からの仕入数量を示したものである。この図から確実にいえるのはどれか。

［国家一般］［刑務官］

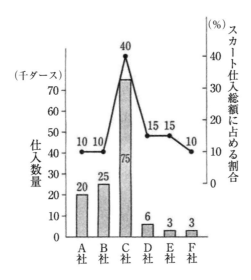

1　B社からの仕入額が2番目に多い。
2　全仕入数量に占めるC社からの仕入数量の割合は50%以下である。
3　C社からの仕入額はB社の3倍である。
4　1ダース当たりの平均単価は、D社よりE社のほうが高い。
5　1ダース当たりの平均単価は、A社とF社とでほぼ同じである。

III
資料解釈

195 図はある年における A～N 国の女性（25～54 歳）の労働力比率と男女失業率較差の関係を示したものであるが、この図からいえることとして妥当なのはどれか。ただし、労働力比率とは人口に対する労働の意志と能力を持つ者の比率、失業率の男女較差は $\dfrac{女性の失業率}{男性の失業率}$ である。

[県・政令都市]

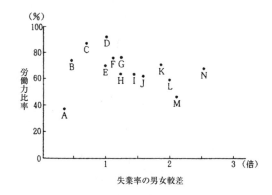

失業率の男女較差

1　女性の労働力比率が最高の D 国では、女性の失業率は男性のそれに比べてかなり低い。
2　女性の労働力比率が最低の A 国では、女性の失業率は男性のそれに比べてかなり高い。
3　失業率の男女較差の国による違いはあまり大きくないが、労働力比率の国による違いはかなり大きい。
4　男女の失業率の差がほとんどない国では、女性の労働力比率が比較的高い。
5　E 国と K 国では労働力比率の男女較差が等しい。

140

実数

例　題

次のグラフは、ある年の主要国の一次エネルギーの消費量（石油換算）と燃料別の消費割合を示したものである。このグラフからいえることとして正しいものはどれか。

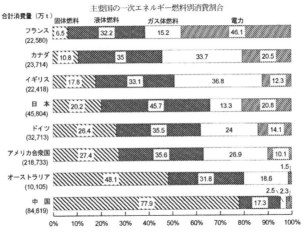

主要国の一次エネルギー燃料別消費割合

合計消費量（万 t）　固体燃料　　液体燃料　　ガス体燃料　　　　電力

	固体燃料	液体燃料	ガス体燃料	電力
フランス (22,580)	6.5	32.2	15.2	46.1
カナダ (23,714)	10.8	35	33.7	20.5
イギリス (22,418)	17.8	33.1	36.8	12.3
日 本 (45,804)	20.2	45.7	13.3	20.8
ドイツ (32,713)	26.4	35.5	24	14.1
アメリカ合衆国 (218,733)	27.4	35.6	26.9	10.1
オーストラリア (10,105)	48.1	31.8	18.6	1.5
中 国 (84,619)	77.9	17.3	2.5	2.3

1　国別燃料別で消費量が最も多いのは中国の固体燃料である。
2　燃料別の合計消費量が最も多いのは液体燃料である。
3　液体燃料の消費量が最も少ないのはイギリスである。
4　ガス体燃料の消費量は日本よりカナダの方が多い。
5　電力の消費量が最も多いのはフランスである。

解　説

　実数値がある資料は、基本的に計算問題になる。その際、注意することは、思い切って概算をすることである。とかく正確な計算をしがちだが、ほとんどの場合、必要ない。どうしても必要なときは、その選択肢に限ってすればよいだけである。また、概算を行うときは、暗算が基本である。

例題の場合、各国の合計消費量を下3桁切り捨てて（フランス22、カナダ23、……中国84）、概算、暗算をしやすくする。また大小比較の目安として、合計消費量が最大のアメリカ合衆国(218)、最小のオーストラリア(10)を念頭に置くとよい。

1　誤り。中国の固体燃料は合計消費量 84 の 77.9% → 80% だから、暗算で約 67。合計消費量が最大のアメリカ合衆国(218)をみる。その中で最大割合は液体燃料の 35.6% → $\frac{1}{3}$ で約 73 となり、こちらの方が大。

2　誤り。8 力国とも割合が多そうなのは液体燃料と固体燃料である。概算といえども計算が大変なので、この選択肢は実際は「とばす」。他の選択肢で正解を見つけた方が賢明。ちなみに、最も多いのは固体燃料である。

3　誤り。イギリスは 22 の 33.1% → $\frac{1}{3}$ で約 7。合計消費量が最小のオーストラリアは 10 の 31.8% で約 3。

4　正しい。カナダは 23 の 33.7% → $\frac{1}{3}$ で約 8。日本は 45 の 13.3% → 10% 強で約 5。すなわち、日本よりカナダの方が多い。

5　誤り。フランスは 22 の 46.1% → 50% なので、約 11。一方、合計消費量最大のアメリカ合衆国は 218 の 10.1% → 10% なので約 22。すなわちフランスよりアメリカ合衆国の方が多い。

正答……4

練 習 ●

① 2,540 について、各間を概数で答えよ。
　(1) 10%　　(2) 20%　　(3) 5%　　(4) 1%　　(5) 33.3%　　(6) 25%
② 分数の文字式で表せ。
　(1) B は A の何倍か　　(2) A に対する B の割合　　(3) B の A に対する割合

◆ 解法のポイント ◆ ●

① 思い切って概算・暗算（必要な場合のみ、やや正確な計算をする）。
② （実数が大きいときは）下〇ケタをカット（[例題]参照）。
③ 実数（合計等）の最大・最小には留意（[例題]参照）。
④ 約分方式（[196]参照）。

196 表は、ある年の4か国の産業別就業人口割合（単位：％）と就業者の実数（単位：千人）を示したものである。この表からいえることとして、妥当なのはどれか。

[県・政令都市]

	日　本	アメリカ	フランス	中　国
農林水産業	5.8	2.9	4.9	56.4
鉱業	0.1	0.5	0.3	1.5
製造業	23.2	16.4	18.0	15.4
電気・ガス・水道	0.6	1.3	0.9	0.4
建設業	10.2	6.1	6.7	5.1
商業	22.4	20.9	16.8	5.7
運輸・通信業	6.1	5.8	6.5	2.8
公務・サービス業	31.6	46.1	45.9	12.7
計(％)	100.0	100.0	100.0	100.0
実数(千人)	64,530	123,060	22,110	602,200

1　日本の鉱業の就業者は、6,000人余りである。
2　公務・サービス業の就業者数は、4か国のうちではアメリカが最も多く、次いでフランスである。
3　中国の商業の就業者数は、日本のそれの約4分の1である。
4　アメリカの建設業の就業者数と中国の運輸・通信業の就業者数はほぼ等しい。
5　日本の運輸・通信業の就業者数とフランスの製造業の就業者数はほぼ等しい。

図はA〜E5ヶ国のある年度における総人口（単位百万人）と幼年人口、生産年齢人口、老年人口の総人口に対する比率（%）を示している。この図からいえることとして妥当なのはどれか。　　　　　　　　[警察官]

	幼年人口	生産年齢人口	老年人口	総人口
A	40%	57%	3%	664
B	22%	66%	12%	229
C	22%	65%	13%	54
D	21%	64%	15%	15
E	18%	66%	16%	62

(百万人)

1　A国の老年人口はE国の老年人口の約2倍である。
2　A国の老年人口はB国の老年人口とほぼ同じである。
3　D国の生産年齢人口は約350万人である。
4　B国の幼年人口はC国の幼年人口の約5倍である。
5　E国の老年人口とC国の幼年人口はほぼ等しい。

198 図は、2016年と2017年のある国における海外旅行者の割合を男女別・年齢階層別に示したものであるが、これから確実にいえるのはどれか。

[国家一般]

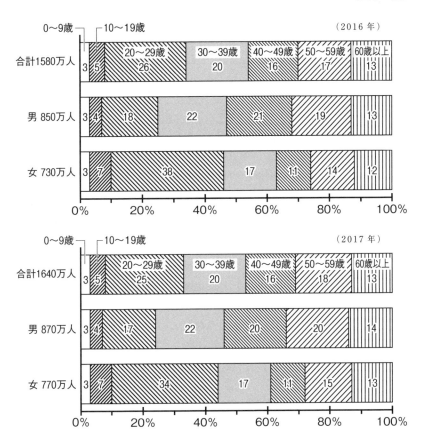

1 2016年及び2017年の対前年増加率は、両年とも女性の方が男性のそれよりも高い。

2 2016年における0～9歳層と10～19歳層を合わせた男性の海外旅行者の数は、同年の10～19歳層の女性のそれよりも少ない。

3 2017年における20歳以上の海外旅行者の数は、2016年よりも減少している。

4 2017年における女性の海外旅行者の数が、2016年よりも減少している年齢階層は20～29歳層だけである。

5 2017年における海外旅行者全体の平均年齢は、40歳を超えている。

表は、2011 〜 2015 年におけるある地区の教育機関別在学者数の推移を示したものであるが、これから確実にいえるのはどれか。　　　　[国家一般]

（単位：人）

年	幼稚園	小学校	中学校	高等学校	総　数
2011	247	676	258	83	1,264
2012	298	589	239	83	1,209
2013	316	597	262	87	1,262
2014	342	637	304	102	1,385
2015	315	624	301	106	1,346

1　総数に占める幼稚園の在学者数の割合が 25 ％を超えた年は、この 5 年間のうち 2013 年だけである。

2　2014 年における小学校の在学者数の対前年増加率は、10 ％を超えている。

3　この 5 年間の中学校の在学者数の合計は、いずれの年の総数よりも多い。

4　この 5 年間の中学校の在学者数を平均すると、その平均値を上回っている年は 3 年ある。

5　2011 年と 2012 年における総数に占める高等学校の在学者数の割合は、両年とも 5 ％を下回っている。

表は、A、B、Cの三つの市に居住する高校生の高校への通学距離について距離段階別に通学者数を示したものである。この表から確実にいえるのはどれか。

[国家一般]

A、B、Cの三つの市に居住する高校生の
距離段階別通学者数（単位：人）

距離段階　　　　　市	A市	B市	C市
0 km 以上 ～ 1 km 未満	354	415	223
1 km ～ 2 km	896	390	231
2 km ～ 3 km	760	274	210
3 km ～ 4 km	733	314	177
4 km ～	471	255	63
計	3,214	1,648	904

1　通学距離の中央値がある距離段階は、いずれの市も「2 km 以上～3 km 未満」である。

2　通学距離が5 km 以上の者の割合が最も高いのは、B市である。

3　通学距離の平均が最も長いのはA市で、約2.8 km である。

4　各市の通学者について距離段階別の割合をみると、最も割合が高いのは、A市の「1 km 以上～2 km 未満」である。

5　通学距離が3 km 未満の通学者の割合が最も高いのは、A市である。

Ⅲ 資料解釈

IV

数　学

IV - 1

二次関数

まとめ

① ２次関数のグラフ

●基本形 $y = ax^2\ (a \neq 0)$ のグラフ

・軸が y 軸

・頂点が原点の放物線

・$a > 0$ のとき、下に凸、
$a < 0$ のとき、上に凸

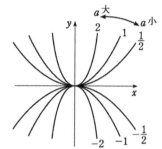

●標準形 $y = a(x - p)^2 + q\ (a \neq 0)$ のグラフ

・軸は $x = p$

・頂点は $(p,\ q)$

・$y = ax^2$ のグラフを x 軸方向に p、
y 軸方向に q 平行移動したもの。

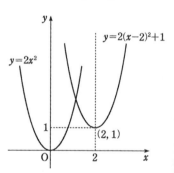

　例：$y = 2(x - 2)^2 + 1$ のグラフ
　　頂点は $(2,\ 1)$ で、$y = 2x^2$ のグラ
　　フを x 軸方向に 2、y 軸方向に 1
　　平行移動したものである。

●一般形 $y = ax^2 + bx + c\,(a \neq 0)$ のグラフ
　軸と頂点を求めるために、標準形 $y = a(x - p)^2 + q$ に変形する。
　例：$y = 2x^2 - 8x + 9$
$$= 2(x^2 - 4x) + 9$$
$$= 2\{(x - 2)^2 - 2^2\} + 9$$
$$= 2(x - 2)^2 - 8 + 9$$
$$= 2(x - 2)^2 + 1$$
　　頂点の座標は、$(2,\ 1)$ となる。

② ２次関数の値の最大・最小

● x の変域に制限がないとき
標準形 $y = a(x-p)^2 + q$ に
変形して求める。
$a > 0$ のとき
下に凸より頂点の y 座標が
最小値となる。
よって、$x = p$ で最小値 q
　　　（最大値なし）

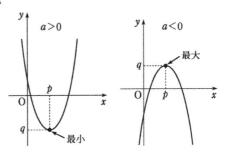

$a < 0$ のとき、上に凸より頂点の y 座標が最大値となる。
よって、$x = p$ で最大値 q（最小値なし）

● x の変域に制限があるとき
与えられた関数のグラフを書いて調べる。
（例）　$y = (x-1)^2 - 2$ の与えられた区間における最大値および最小値
ア：$x \geqq 0$ のとき
　最小値 -2（$x = 1$ のとき）、最大値なし
イ：$0 \leqq x \leqq 3$ のとき
　最小値 -2（$x = 1$ のとき）、最大値 2（$x = 3$ のとき）
ウ：$2 \leqq x \leqq 4$ のとき
　最小値 -1（$x = 2$ のとき）、最大値 7（$x = 4$ のとき）

ア）$x \geqq 0$ のとき　　　イ）$0 \leqq x \leqq 3$ のとき　　　ウ）$2 \leqq x \leqq 4$ のとき

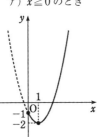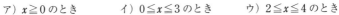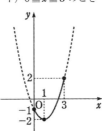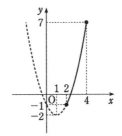

Ⅳ
数
学

③ 2次方程式 $ax^2+bx+c=0$

●解き方

・因数分解の利用

例) $x^2-2x-3=0$

$\qquad (x+1)(x-3)=0$

$\qquad \therefore x=-1,\ 3$

・解の公式

$\quad ax^2+bx+c=0$ のとき $\quad x=\dfrac{-b\pm\sqrt{b^2-4ac}}{2a}$

例) $x^2+2x-1=0$

$\quad x=\dfrac{-2\pm\sqrt{2^2-4(-1)}}{2}=\dfrac{-2\pm\sqrt{4+4}}{2}=\dfrac{-2\pm2\sqrt{2}}{2}=-1\pm\sqrt{2}$

●解と係数の関係

$\quad$ 2次方程式 $ax^2+bx+c=0$ の2つの解を α、β とすると

$\quad \alpha+\beta=-\dfrac{b}{a}$、$\alpha\beta=\dfrac{c}{a}$

●判別式

$\quad$ 解の公式の $\sqrt{}$ の中 b^2-4ac を D とおき、判別式という。

$\quad D$ を求めることで、解の個数がわかる。また、2次関数 $y=ax^2+bx+c$ の x 軸との交点の個数、位置関係がわかる。

$D>0$ の場合 $\begin{cases} a>0\text{ ならば下に凸、(頂点の }y\text{ 座標)}<0 \\ a<0\text{ ならば上に凸、(頂点の }y\text{ 座標)}>0 \end{cases}$

$D=0$ の場合 $\begin{cases} a>0\text{ ならば下に凸、(頂点の }y\text{ 座標)}=0 \\ a<0\text{ ならば上に凸、(頂点の }y\text{ 座標)}=0 \end{cases}$

$D<0$ の場合 $\begin{cases} a>0\text{ ならば下に凸、(頂点の }y\text{ 座標)}>0 \\ a<0\text{ ならば上に凸、(頂点の }y\text{ 座標)}<0 \end{cases}$

$\quad$ これより、2次関数 $y=ax^2+bx+c\ (a\neq0)$ のグラフと x 軸の位置関係は次の表のようになる。

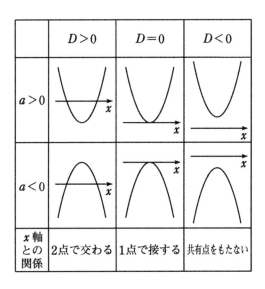

	$D>0$	$D=0$	$D<0$
$a>0$			
$a<0$			
x軸 との 関係	2点で交わる	1点で接する	共有点をもたない

④ 2つのグラフの位置関係

　　放物線 $y=ax^2+bx+c$ と直線 $y=mx+n$ との共有点の座標は、y を消去して得られる 2 次方程式 $ax^2+(b-m)x+(c-n)=0$ の解が共有点の x 座標となる。よって、この方程式の判別式を D とすると、

　　$D>0$ のとき、2 点で交わる。

　　$D=0$ のとき、1 点で接する。

　　$D<0$ のとき、共有点をもたない。

⑤ 2次不等式

　一般に、$\alpha<\beta$ のとき

　$(x-\alpha)(x-\beta)<0$ の解は　$\alpha<x<\beta$

　$(x-\alpha)(x-\beta)>0$ の解は　$x<\alpha$、$\beta<x$

Ⅳ
数
学

① 次の 2 次関数の軸、頂点を求めてグラフをかけ。

　(1) $y = x^2 - 4x + 1$　　　　(2) $y = -2x^2 - 4x - 1$

② $y = x^2 - 4x$ の $0 \leqq x \leqq 3$ における最大値と最小値を求めよ。

③ 次の 2 次方程式を解け。

　(1) $2x^2 - 7x + 3 = 0$　　　　(2) $3x^2 - 5x + 1 = 0$

④ 次の 2 次関数のグラフと x 軸との位置関係を調べよ。

　(1) $y = x^2 - 3x - 10$　　　　(2) $y = -6x^2 + x - 2$

⑤ 次の 2 つのグラフの共有点の個数を調べよ。

　$y = 3x^2 - 2x + 2$　　　　$y = 2x + 1$

例 題

時刻 $t = 0$ において車を始動しそれから加速したのち減速し停止した。その間の時刻 t における車の走行速度 v は $v = -t^2 + 20t$ で与えられるという。走行速度 v の最大値はいくらか。　　　　　　　　　　[国家一般]

　1　60
　2　70
　3　80
　4　90
　5　100

解 説

　t^2 の係数がマイナスだから、v を縦軸、t を横軸にしたグラフでは、上に凸のグラフになる。したがって、v の最大値は、頂点の座標を求めればよい。

　　$v = -t^2 + 20t = -(t^2 - 20t) = -(t - 10)^2 + 100$

よって、頂点$(10,\ 100)$

ゆえに、v の最大値は 100 である。

正答……5

演 習

201 二つの放物線 $y = ax^2$ と $y = \dfrac{1}{4}x^2$ がある。図のように x 軸に平行な線 l が y 軸と交わる点を A とし、第 1 象限で放物線と交わる点をそれぞれ B、C とする。AB $= 1$、BC $= a - 1$ となるときの a の値として正しいのはどれか。

[市町村]

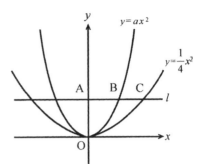

1　$\dfrac{3}{2}$

2　2

3　3

4　4

5　5

202 2 次関数 $y = x^2 + ax + b$ が x 軸上の 2 点 $(a,\ 0)$, $(b,\ 0)$ で交わるとき、頂点の y 座標は次のうちどれか。　[市町村]

1　$-\dfrac{7}{4}$

2　$-\dfrac{9}{4}$

3　0

4　$-\dfrac{11}{4}$

5　$-\dfrac{13}{4}$

203 2次方程式 $3x^2 - 10x + 3 = 0$ の2つの解を α、β とするとき、$\alpha^2\beta + \alpha\beta^2$ の値は次のうちどれか　　　　　　　　　　　　　　　[国家一般]

1　$\dfrac{10}{3}$

2　3

3　$\dfrac{8}{3}$

4　$\dfrac{7}{3}$

5　2

204 すべての実数 x に対して、$a(x^2 + 1) > 3x$ が成り立つような a の値の範囲を求めよ。　　　　　　　　　　　　　　　　　　　　[警察官]

1　$a < -\dfrac{3}{2}$

2　$a > 0$

3　$a > \dfrac{3}{2}$

4　$-\dfrac{3}{2} < a < \dfrac{3}{2}$

5　$a < -\dfrac{3}{2}$, $a > \dfrac{3}{2}$

205 $-1 \leqq x \leqq 3$ で、常に $x^2 - 4x + \dfrac{a}{2} < 0$ が成り立つような定数 a の値の範囲として正しいのはどれか。　　　　　　　　　　　　[国家一般]

1　$a < -10$

2　$a < -6$

3　$-10 < a < 6$

4　$a < 6$

5　$a > 6$

206 2次関数 $y = -(x-1)(x-7)$ の範囲が $0 \leqq x \leqq 6$ であるとき、最大値と最小値の和を求めよ。 ［市町村］

1 17
2 12
3 9
4 6
5 2

Ⅳ
数
学

IV - 2

図形と方程式

出題頻度 ★★

まとめ

① 直線の方程式

●直線の方程式

・傾き a、y 切片 b の直線　　$y = ax + b$

・y 軸に平行な直線　　　　　$x = k$（k は定数）

・一般の直線の方程式　　　　$ax + by + c = 0$

●2 直線 $y = mx + n$, $y = m'x + n'$ について

・平行条件　　　　　　　　$m = m'$

・一致する条件　　　　　　$m = m'$, $n = n'$

・垂直条件　　　　　　　　$mm' = -1$

② 円の方程式

●原点(0, 0)を中心とする半径 r の円

$x^2 + y^2 = r^2$

●点 P(a, b)を中心とする半径 r の円

$(x - a)^2 + (y - b)^2 = r^2$

●一般の円

$x^2 + y^2 + Ax + By + C = 0$

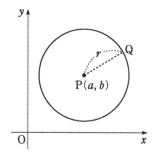

③ 円と直線の関係

円 $x^2 + y^2 = r^2$ と直線 $y = mx + n$ との関係を調べるには、y を消去する。

$x^2 + (mx + n)^2 = r^2$

$(m^2 + 1)x^2 + 2mnx + n^2 - r^2 = 0$ とし、x だけの式にし、判別式で考える。

・$D > 0$ のとき 2 つの交点をもつ

・$D = 0$ のとき接する

・$D < 0$ のとき共有点をもたない

練習 •

① 次の条件を満たす直線の方程式を求めよ。

　(1) 点$(-1, 2)$を通り、傾き-3　　(2) 2点$(-1, -4)$，$(2, -1)$を通る

② 次の方程式で表される円の中心座標と半径を求めよ。

　(1) $x^2 + y^2 + 2x - 4y - 20 = 0$　　　(2) $x^2 + y^2 + 6x - 8y + 16 = 0$

演 習

207 2直線$x + 2y - 8 = 0$と$5x - 2y - 4 = 0$の交点を通り、直線$x - 2y - 2 = 0$に平行な直線はどれか。　　　　　　　　　　　　　　　　　　　　［市町村］

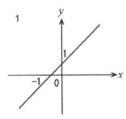

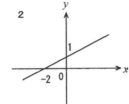

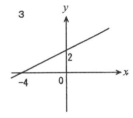

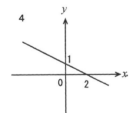

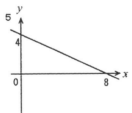

208 図の座標平面上の直線ア〜エ を $ax+by=1$ (a、b は定数) で表すとき、a, b がいずれも正となるものをすべて挙げてあるのはどれか。

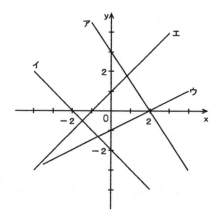

1 アのみ
2 ア、イ
3 ア、エ
4 ウ、エ
5 エのみ

209 直線 $y=3x$ に垂直で、点 $(2, 1)$ を通る直線の方程式として正しいものはどれか。

1 $3x+y-7=0$
2 $3x-y-5=0$
3 $x+3y-5=0$
4 $x-3y+1=0$
5 $x-2y=0$

210 x に関する3次方程式 $x^3+ax^2+bx+4=0$ は3つの異なる解を持つ。そのうち2つの解が2次方程式 $x^2-3x+2=0$ の解と一致するとき、a, b に該当する数の組合わせとして正しいのは次のうちどれか。　[市町村]

	a	b
1	-1	-4
2	-1	-2
3	1	-4
4	1	2
5	1	4

IV - 3

三角比

まとめ

① **直角三角形の辺の比**

右図のような直角三角形 ABC において

正弦：$\sin A = \dfrac{a}{c}$

余弦：$\cos A = \dfrac{b}{c}$

正接：$\tan A = \dfrac{a}{b}$

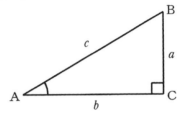

② **特別な角の三角比**

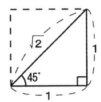

θ	$30°$	$45°$	$60°$
$\sin\theta$	$\dfrac{1}{2}$	$\dfrac{1}{\sqrt{2}}$	$\dfrac{\sqrt{3}}{2}$
$\cos\theta$	$\dfrac{\sqrt{3}}{2}$	$\dfrac{1}{\sqrt{2}}$	$\dfrac{1}{2}$
$\tan\theta$	$\dfrac{1}{\sqrt{3}}$	1	$\sqrt{3}$

IV
数学

161

③　三角比の相互関係

$$\tan A = \frac{\sin A}{\cos A}$$

$$\sin^2 A + \cos^2 A = 1$$

$$1 + \tan^2 A = \frac{1}{\cos^2 A}$$

④　正弦定理・余弦定理

●正弦定理

$\triangle$ABC で $\dfrac{a}{\sin A} = \dfrac{b}{\sin B} = \dfrac{c}{\sin C} = 2R$

ただし R は$\triangle$ABC の外接円の半径

●余弦定理

$$a^2 = b^2 + c^2 - 2bc\cos A$$

$$b^2 = c^2 + a^2 - 2ca\cos B$$

$$c^2 = a^2 + b^2 - 2ab\cos C$$

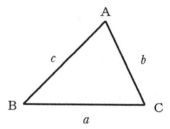

⑤　三角形の面積

$\triangle$ABC の面積を S とすると

$$S = \frac{1}{2}bc\sin A = \frac{1}{2}ca\sin B = \frac{1}{2}ab\sin C$$

練 習 ●

①　高さ 32 m の建物の屋上から、150 m 離れたビルの上端の仰角を測ったところ 30° であった。ビルの高さは何 m か。

②　$\triangle$ABC で、AB = 7, BC = $4\sqrt{2}$, CA = 5 のとき、$\cos A$, $\sin A$ の値を求めよ。

③　$a = 3$、$b = 4$、$C = 150°$ の$\triangle$ABC の面積を求めよ。

$\sin\theta + \cos\theta = \dfrac{1}{3}$ $(0 < \theta < 180°)$ のとき $\sin\theta\cos\theta$ の値として正しいのは次のうちどれか。　　　　　　　　　　　　　　　　　　　　　　　　　[裁判所]

1　$-\dfrac{1}{2}$

2　$\dfrac{1}{3}$

3　$\dfrac{1}{9}$

4　$-\dfrac{2}{9}$

5　$-\dfrac{4}{9}$

解　説

$\sin\theta + \cos\theta = \dfrac{1}{3}$ より、

$$(\sin\theta + \cos\theta)^2 = \sin^2\theta + \cos^2\theta + 2\sin\theta\cos\theta = \dfrac{1}{9}$$

$\sin^2\theta + \cos^2\theta = 1$ だから

$$1 + 2\sin\theta\cos\theta = \dfrac{1}{9}$$

$$\sin\theta\cos\theta = \dfrac{1}{2}\left(\dfrac{1}{9} - 1\right) = -\dfrac{4}{9}$$

正答……5

IV
数
学

163

211 図において AB = 100 m、BC = 50 m、
cos θ = 0.8 とすると AC はおよそいくらか。
ただし $\sqrt{5} = 2.236$ とする。

[県・政令都市]

1　61 m
2　63 m
3　65 m
4　67 m
5　69 m

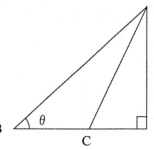

212 図の三角形に外接する円の半径として正しいものはどれか。　[市町村]

1　$\dfrac{\sqrt{3}}{2}$

2　$\sqrt{3}$

3　$2\sqrt{3}$

4　$3\sqrt{3}$

5　$4\sqrt{3}$

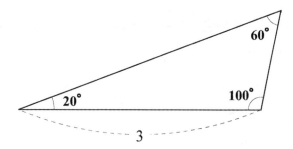

213 $\sin\theta + \cos\theta = \sin\theta\cos\theta$ であるとき、$\sin\theta\cos\theta$ の値として正しいのは、次のうちどれか。　　　　　　　　　　　　　　　　　　　[裁判所]

1　$-1-\sqrt{2}$

2　$1+\sqrt{2}$

3　$-1+\sqrt{2}$

4　$1-\sqrt{2}$

5　1

214 $\sin A = \dfrac{2\sqrt{5}}{5}$ であるとき、$\tan A$ の値として正しいのはどれか。ただし、$0° < A < 90°$ とする。　　　　　　　　　　　　　　　　[国家一般]

1　$\dfrac{\sqrt{2}}{2}$

2　$\dfrac{\sqrt{3}}{2}$

3　$\dfrac{3}{2}$

4　2

5　$2\sqrt{2}$

下記のサイトに、追補、情報の更新および訂正を掲載しております。
http://koumuin.info/book/shusei.html

公務員合格ゼミ **数的推理**

1993 年 4 月　初版発行
2020 年 4 月　10版発行

編著者　　学校法人　公務員ゼミナール
　　　　　遠竹沙耶香
発行者　　三森正啓
発行所　　学校法人　公務員ゼミナール
　　　　　専門学校　公務員ゼミナール
　　　　　〒 812-0016　福岡市博多区博多駅南 2-14-5
　　　　　TEL 092-432-3591　FAX 092-432-3592
　　　　　http://kouzemi.ac.jp/
　　　　　専門学校　公務員ゼミナール熊本校
　　　　　〒 860-0071　熊本市西区池亀町 5-5
　　　　　TEL 096-325-6373　FAX 096-325-6380
　　　　　http://www.kumamoto-koumuin.info/
発売元　　株式会社　いいずな書店
　　　　　〒 110-0016　東京都台東区台東 1-32-8　清鷹ビル 4F
　　　　　TEL 03-5826-4370
　　　　　振替 00150-4-281286
　　　　　ホームページ https://www.iizuna-shoten.com
印刷・製本所　株式会社　ウイル・コーポレーション

ISBN978-4-86460-513-7 C2041

公務員合格ゼミ

これで合格

数的推理

解答・解説書

慶応公務員ゼミナール
遠竹 沙耶香 編著

いいずな書店

I 数的推理

I－1 虫食い算

◇練習の正答

① A＝1　②
A	1	2
B	3	1
　③ A＋B＝10 になる数　④ A＝1か2　⑤
A	2	3
B	4	9
　⑥
A	5	6
B	2	3

［1］ 正答4

A、B、C は 1 ～ 9 の数。右のように表記した方が考えやすい。

「端っこ」に注目して、C＝1。

次に「数字が多い桁」の1桁目をみる。

B＋4＝□1 になるには、2桁目より A＝9、B＝7。

```
    A B
  + B 4
  C B C
```

［2］ 正答2

A ～ E は 1、3、5、8、9 の数。

まず、E＝1。次に1桁目をみると B＋0＋D＝□C、

整理すると B＋D＝□C。

これより、次の4通りが考えられる。

	①	②	③	④
B	3	5	5	8
D	5	3	8	5
C	8	8	3	3

それぞれの場合を吟味する。（その際、見つけるのが難しい③④の方が正解の場合が多い。）

③の場合が適する。∴ D＋C＝8＋3＝11

［3］ 正答3

「端っこ」に注目すると3桁目の A は 1 か 2 である。

（∵ 2桁目からの繰り上がりを考えると、最大の時でも、9＋8＋7＝24）

場合分けをしてみると、

① A＝2の場合

1桁目 B＋C＋2＝□C を整理すると、B＋2＝□0　よって、B＝8

```
    2 8
    8 C
  + C 2
  2 8 C
```
この場合、2桁目より C＝7

しかし合計287とならず矛盾。

② A＝1の場合

```
    1 9
    9 C
  + C 1
  1 9 C
```
1桁目 B＋C＋1＝□C を整理すると、B＋1＝□0

∴ B＝9

このとき、2桁目より C＝8

よって A＋B＋C＝1＋9＋8＝18

[4]　正答4
　A〜Fは、1、2、3、4、5、6の数。1桁目に注目。

$$\begin{array}{r}
A\ B \\
\times\qquad C \\
\hline
D\ E\ F
\end{array}$$

　B×C＝□Fのパターンは次の4つの場合が考えられる。

	①	②	③	④
B	2	3	3	4
C	3	2	4	3
F	6	6	2	2

　1つずつ吟味する。比較的見つけにくい③④から先にした方がよい。
条件を満たすのは④の場合である。

$$\begin{array}{r}
5\ 4 \\
\times\quad 3 \\
\hline
1\ 6\ 2
\end{array}$$

[5]　正答3
　右図の①で4と7を加えた下がBとなっているから、Bは1か2（2は繰
上げの場合）である。
　ところが、②の6×B＝□B で、B＝1 はありえない。
　よってB＝2
　③より、C＝8、そして、A＝3　　∴A＋B＋C＝3＋2＋8＝13

$$\begin{array}{r}
4\ A\ 6 \leftarrow ② \\
\times\quad B\ C \\
\hline
A\ 4\ C\ C \\
C\ 7\ B \\
\hline
1\ B\ B\ 0\ C
\end{array}$$
　　　　　↑　↑
　　　　　①　③

[6]　正答5
　C△A＝10　………………………①
　D○A＝C　…………………………②
　D□A＝C□B　……………………③
　A<B<C<Dで1〜9　………④
　①より予測できるのは、1〜9の数字だから、C＋A＝10か、C×A＝10のいずれかである。
　C＋A＝10はたくさんの場合が考えられるが、
　C×A＝10は(A、C)＝(2、5)の時だけである（④よりA<C）。
　まずは(A、C)＝(2、5)の場合を考えてみる。
　②をD○2＝5で考えてみると、3＋2＝5か、7−2＝5だが、④の2<B<5<DよりD＝3はあ
りえない。
　よって、D＝7ですすめてみる。
　③の7□2＝5□Bが成立するのは、7＋2＝5＋4のときである。
　以上、A＝2、B＝4、C＝5、D＝7、△＝「×」、○＝「−」、□＝「＋」で①〜④の条件を
すべて満足させる。
　よって、D×C−B＋A＝7×5−4＋2＝33

[7]　正答1
　A〜Gは、1〜9。
　④(4番目)の式E×E＝Fより、2×2＝4か3×3＝9　ところが、E＝2ならば②の式より矛盾
が生じる。（1＋1＝2しかなく、B≠Dの条件に反する）。よって、E＝3、F＝9とわかる。
　②の式に戻ると右のいずれかである。
　ところがB＝1の時は、③の式より矛盾が出る
　（1×C＝GとなりC≠Gの条件に反する）。
　よって、B＝2、D＝1が分かる。①に戻ってA＝6がわかる。

B	1	2
D	2	1
E	3	3

Ⅰ－2　魔方陣

◇練習の正答

① 対称の和 $1+25=26$
　真中の数 13
　1列の和 $13\times5=65$

17	24	1	8	15
23	5	7	14	16
4	6	13	20	22
10	12	19	21	3
11	18	25	2	9

$(1\sim25)$

② 対称の和 $1+16=17$
　真中の数 8.5
　1列の和 $8.5\times4=34$

14	11	7	2
1	8	12	13
4	5	9	16
15	10	6	3

$(1\sim16)$

注意：一部の魔方陣には、このポイントが使えないものもあるが、公務員試験には、まず出題されない。

[8]　正答2

「一列の和」＝真中の数×列の数＝$8.5\times4=34$
「対称の和」＝17
これらより、わかる数を空欄に入れると、右図のようになる。まだ使われていない数字6、7、10、11を念頭に、Xを含む縦列をみると（空欄のマスをYとZとおく）
　$34=3+X+Y+15$ より　　$X+Y=16$　∴　Xは6か10
Xを含む横列をみると
　$34=8+Z+X+5$ より　　$Z+X=21$　∴　Xは10か11
以上より、縦列、横列ともに適するのは$X=10$

13	2	3	16
8	Z	X	5
12		Y	9
1	14	15	4

[9]　正答5

「真中の数」は31
「対称の和」＝$27+35=62$
「一列の和」は、真中の数×列の数＝$31\times3=93$
以上より、右上図まで埋まる。これ以上進まないので「場合分け」をするために、まだ使われていない数字を拾い上げてみると
27、28、30、32、34、35である。
さて、右上図の段階で20台の数字で残っているのは27か28のいずれかである。したがって※のマスは27か28のいずれかである。
※が27の時、3Bが33となり不適。
※が28の時、右下図のようになり適。よって、$A+B=5+2=7$

※

3□	3A	2□
29	31	33
3□	2□	3B

30	35	28
29	31	33
34	27	32

－3－

［10］　正答2

通常ならば「対称の和」＝1＋16＝17のはずである。ところが表中の対称をみると、
　　11＋16＝27
つまりこの問題では、「対称の和」が使えない。そのときには、「4マスの和」を使ってみる。これは隣り合う4マスの和は、どこをとっても等しく、かつ1列の和に等しいというものである。

一列の和＝8.5×4＝34だから、斜めの列より、
　　C＋D＝34－(2＋12)＝20
「4マスの和」＝「一列の和」だから、
　　A＋B＋C＋D＝34、C＋D＝20
よって、A＋B＝34－20＝14

C	A		
B	D	16	9
		11	2
		8	12

［11］　正答5

魔方陣の解法に必要な3つの数は
　　①真ん中数＝(1＋16)÷2＝8.5
　　②対称の和＝1＋16＝17
　　③列の和＝8.5×4＝34
　③より、オ＝11、カ＝6
　よって、ア～エに入る残った4個の数は、1、4、13、16である。
　③より、ア＋イ＝34－2－3＝29であり、ア、イの組み合わせは13と16
　　　　　　ア＋ウ＝34－5－9＝20であり、ア、ウの組み合わせは4と16
　よって、ア＝16、イ＝13、ウ＝4、エ＝1となる。

㋐	2	3	㋑
5	㋔	10	8
9	7	㋕	12
㋒	14	15	㋓

［12］　正答4

例題や練習の解法パターンが使えない問題であることに注意する。
まず1列の和を考えてみる。すでに数字が入っている列をみてみると、
最上列(または左列)の和が最大で32である。したがって、1列の和は32
より大きい33、34、35…が考えられる。合計をできるだけ小さくするた
めに、まずは33と仮定してみると、右図のようにきれいに入る。
よって、①＋⑦＋⑨＋⑥＋⑦＝30

①	8	12	3	9
4	⑦	6	13	3
7	4	⑨	5	8
11	6	4	⑥	6
10	8	2	6	⑦

Ⅰ－3　倍数と約数

◇練習の正答
　①　(6、420)　　②　(8、144)　　③　(6、756)
　注意：最小公倍数を求める場合は、2つ以上割れる数があれば、割り続ける。

[13]　正答3

Aは4日間のサイクル、Bは6日間のサイクルだから、2人では4と6の最小公倍数、つまり12日間のサイクルが次の表のように繰り返されることになる。

	1	2	3	4	5	6	7	8	9	10	11	12
A	○	○	×	×	○	○	×	×	○	○	×	×
B	○	○	○	×	×	×	○	○	○	×	×	×

12日間のうち、AとBが同じ日に働くのは3日間である。180日間では、
180日÷12日＝15サイクルだから、15サイクル×3日＝45日 同じ日に働くことになる。

[14]　正答3

ある自然数をAとおく。10≦A≦200
自然数Aから1を引いた数が2、3、4、5で割り切れるとは、A－1が、2かつ3かつ4かつ5の公倍数ということである。2、3、4、5の最小公倍数は60。9～199の間に（9≦A－1≦199）2、3、4、5で割り切れる数（60の倍数）は、199÷60＝3.3…。よって、3個である。

[15]　正答5

題意の整数は右図斜線部である。
6の倍数（2と3の公倍数）の個数から12の倍数（2と3と4の公倍数）の個数を引けばよい。
　　200÷6＝33.…
　　200÷12＝16.…
　　よって、2と3の倍数だが、4の倍数でないものは、
　　33－16＝17個

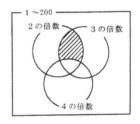

[16]　正答3

100～999の900個の数のうちから、3で割り切れる数（3の倍数）を引けばよい。
3の倍数は1から999までは999÷3＝333個
1から99までは99÷3＝33個
よって、
　　333－33＝300個
3で割り切れない数は
　　900－300＝600個

[17]　正答2

ブロックを積み上げて各辺を「等しくさせる」から公倍数。しかも大きさは1m以上で、できるだけ少ないブロック数でという条件である。まずは最小公倍数を求めると60cm。条件に適するためには1辺が、60×2倍＝120cm。
縦、横、高さに並ぶブロックの個数は、
　　120÷15＝8個　　120÷20＝6個　　120÷10＝12個
　　よって、8×6×12＝576個

[18] 正答3

上り、下りともに2番列車、3番列車…と回数を重ねると、同時に発車の列車がでるが、それは8時30分からの時間が「等しくなる」時である。それが(最小)公倍数である。最小公倍数108(分)で、108分ごとに同時発車になる。午前8時30分から午後5時までは510分だから、同時発車回数は

$$510 \div 108 = 4.\cdots$$

よって、4回。

[19] 正答3

各辺を「等しく分ける」から公約数、しかもできるだけ大きく分けるから最大公約数を求めればよい。

$$
\begin{array}{r|cccc}
4) & 48 & 120 & 168 & 96 \\
\hline
6) & 12 & 30 & 42 & 24 \\
\hline
& 2 & 5 & 7 & 4 \\
\end{array}
$$
　最大公約数 = 24 cm (タイルの一辺の長さ)

168 cm × 96 cm の壁には、7 × 4 = 28枚、それに48 cm × 24 cm の壁に2枚追加で、計30枚。

[20] 正答5

等間隔に杭を打つとは三角形の三辺を「等しく分ける」ことだから公約数、しかもできるだけ杭の数を少なく(間隔を広くの意)だから最大公約数を求めればよい。

$$
\begin{array}{r|ccc}
6) & 60 & 132 & 156 \\
\hline
2) & 10 & 22 & 26 \\
\hline
& 5 & 11 & 13 \\
\end{array}
$$
　最大公約数 = 12 m (間隔の長さ)

頂点に杭を打つときは右図のように各辺を切り離して考える。各辺の片方だけに杭を打つと考えて、その際には杭の本数は間隔の数と同じ。
各間隔の数は5 + 11 + 13 = 29、よって杭の本数は29本。

Ⅰ－4　整数問題

◇練習の正答

① $b = 3(a - 3)$ より b は3の倍数だから

a	4	5	6
b	3	6	9

② $3a = 4(b + 3)$ より a は4の倍数だから

a	4	8
b	×	3

③ $b = 2(3a - 1)$ より b は2の倍数だから

a	×	1	×	×
b	2	4	6	8

[2 1] 正答1

2桁の整数を $10a+b$ とおく（a, b は $1 \sim 9$）。題意より式を作ると、

$$(10b+a)+8 = \frac{3}{2}(10a+b)。$$

整理すると、$4(7a-4)=17b$ となり、b は 4 の倍数であることがわかる。

a	3	×
b	4	8

よって、もとの数は 34

[2 2] 正答4

A コーナーが x 冊、B コーナーが y 冊とする。総売上の 1 の位が 5 であることから、C コーナーは 5 冊と確定する。

条件より、$x \geqq 5$, $y \geqq 5$

$$910x+520y = 13595-1081 \times 5$$

これを整理して、$4y=7(9-x)$ となり、y が 7 の倍数であることがわかる。

5 以上の整数 x, y の組み合わせは、$x=5$, $y=7$ である。

よって売れた本の合計は、$5+7+5=17$ 冊

[2 3] 正答4

$3A=B+9$ より、$3(A-3)=B$

よって、B は 3 の倍数である。

一方、$D+2B=15$ より B は 7 以下の数に制限される（D は正の整数）。この段階で B は 3 か 6 なので、場合分けをして考える。

$3B-4C=2$ にそれぞれ入れてみると、B＝3 のときは $C=\frac{7}{4}$ となり不適。B＝6 のときは C＝4。

B＝6 を $D+2B=15$ に代入して D＝3 となるから、$B+C+D=6+4+3=13$

[2 4] 正答5

69,000 円の 9,000 円に注目。そこに 1,000 円札が 9 枚か、あるいは 4 枚あることに気づく。

この 2 つについて場合分け。

1,000 円札が 9 枚の場合は、合計 12 枚の制限があるので 69,000 円には届かない。

よって、1,000 円札 4 枚と確定。

あとは選択肢を利用しながら合計 12 枚になるよう「アテハメ」てみる。

10,000 円札	5 枚	50,000 円
5,000 円札	3 枚	15,000 円
1,000 円札	4 枚	4,000 円
	12 枚	69,000 円

[25]　正答1
　0点になったチームが、x回勝ち、y回負け、z回引き分けたとする。
　　$x+y+z=12$　…………①
　　$5+(2x-y+z)=0$　…②
　②−①より、$x+17=2y$
　この式を満たす数値をあてはめてみると、
　$x=1$、$y=9$(なお、このとき$z=2$)。よって、1回勝ったことになる。

[26]　正答5
　題意を式にすると
　　$B=2A$………①　　$C=A+1$………②　　$D<C$………③
　$A+B+C+D=20$だから、①②を代入すると、$4A+D=19$
　考えられるのは

A	1	2	3	4
D	15	11	7	3

　このうち、③を満足させるのは、$A=4$、$D=3$のときである。
　よって、$C=5$、$B=8$で、$C+D=8$

[27]　正答4
　5点のカードをx枚、7点のカードをy枚、12点のカードをz枚とおくと、カードは全部で24枚
あるから、$x+y+z=24$　……①
　また、点数の合計が168点だから、$5x+7y+12z=168$　……②
　未知数を1つ消去するために①を②に代入する。①より$x=24-y-z$
　②に代入して整理すると$2y+7z=48$。
　よって、$7z=2(24-y)$となり、zは2の倍数であることがわかる。

z	2	4	6
y	17	10	3

　この中で12点のカードの枚数(z枚)が最小となるときの7点のカードの枚数(y枚)は17枚である。

[28]　正答3
　上……x円……a人前
　並……y円……b人前　とおくと
　　$3x = 5y$　……①
　　$x + y = 3200$　……②　　①②を解くと、上は2000円、並は1200円。
　つぎに、合計より $2000a + 1200b = 17200$
　簡単にして、$5a + 3b = 43$
　この式を成立させる整数 a、bをあてはめながら求めればよい。「もっとも多く買える」のは上が
　少ない時だから、$a = 1$、2、3 と入れはじめた方が、答を早く求めることができる。

a	1	2	3	4	5	6	7	8
b	×	11	×	×	6	×	×	1

　よって、最も多いときは、$2 + 11 = 13$ 人前

Ⅰ－5　数の性質

◇練習の正答
①　偶数　　②　偶数　　③　奇数　　④　偶数　　⑤　奇数　　⑥　偶数

[29]　正答2
　求める数をAとおく。(P、Q、Kは任意の自然数)
　割る数と余りの差がいずれも2なので、これを利用して変形すると
　　$A = 4P + 2$　　　　$A + 2 = 4(P + 1)$
　　$A = 5Q + 3$　⇒　$A + 2 = 5(Q + 1)$
　　$A = 6K + 4$　　　　$A + 2 = 6(K + 1)$
　上の3つの式より、$A + 2$は4、5、6の公倍数であり、4、5、6の最小公倍数は60。
　　$A + 2 = 60$、120、180、…
　したがって、$A = 58$、118、178、…
　題意より、Aは2桁の数だから、58である。各位の差は $8 - 5 = 3$

[30]　正答2
　求める数をAとおく。(P、Qは任意の自然数)
　割る数と余りの差がいずれも5なので、これを利用して変形すると
　　$A = 6P + 1$　⇒　$A + 5 = 6(P + 1)$
　　$A = 8Q + 3$　　　$A + 5 = 8(Q + 1)$
　上の2つの式より、$A + 5$は6と8の公倍数であり、6と8の最小公倍数は24。
　　$A + 5 = 24$、48、72、96、120、…、288、312、…
　したがって、$A = 19$、43、67、91、115、…、283、307、…
　題意より、300未満の3桁の整数で最大のものは283、最小のものは115だから、この2数の差
　は $283 - 115 = 168$

［31］　正答4
　求める数をAとおく。(P、Q、Kは任意の自然数)
　　　A＝3P＋1　……①
　　　A＝4Q＋2　……②
　　　A＝5K＋4
　①と②は割る数と余りの差がいずれも2なので、これを利用して変形すると
　　　A＋2＝3(P＋1)
　　　A＋2＝4(Q＋1)
　上の2つの式より、A＋2は3と4の公倍数であり、3と4の最小公倍数は12。
　　　A＋2＝12、24、36、…
　したがって、A＝10、22、34、…
　これらの中で5で割ると4余る数を見つけると、34だから
　　　34÷6＝5あまり4

［32］　正答3
　参加者全員をA人、女性をB人とおく。(P、Qは任意の自然数)
　　　100＝A×P＋7
　　　100＝B×Q＋5
　これを整理して
　　　A×P＝93＝3×31
　　　B×Q＝95＝5×19
　あまりは割る数より小さい数となるから、A＝31、B＝19。
　よって、男性は31－19＝12人。

［33］　正答5
　A＝0(偶数)、B＝1(奇数)、C＝1(奇数)を代入してみればよい。

［34］　正答2
　偶数を0、奇数を1として式を書き直すと、
　　　(A＋B)C＝1　……①
　　　B＋C＝1　……②
　　　A＋C＋D＝0　……③
　①よりC＝1、A＋B＝1　　　……①'
　②と①'よりB＝0、A＝1
　これらを③に代入して、1＋1＋D＝0より、D＝－2
　よって、奇数はAとC、偶数はBとD。

[35] 正答1

下図のように操作を逆に考えてみる。すなわち5を2倍した数と、5から1を引いた数を求める。同じように、この操作を4回行い、その中で適するものを選ぶ。

実際の操作は④→③→②→①の順なので、その順で「偶数ならば2で割り、奇数ならば1を加えるという操作」のものだけを選ぶ。

この図より、5個あることが分かる。

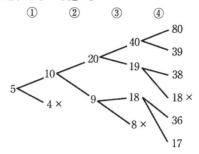

[36] 正答5

表と裏が同じであれば合計は偶数(4、8、12、14)のどれか。

しかし合計4は $\boxed{2}$ と $\boxed{②}$ のカードが既にあるからあり得ない。残る合計8、12、14が同じ数のカードである。あとは合計3、4、8、11、13、17にするために、まだ出ていない数を考えればよい。

$\boxed{2}$	$\boxed{④}$	$\boxed{⑧}$	$\boxed{6}$	$\boxed{①}$	$\boxed{②}$	$\boxed{7}$	$\boxed{⑤}$	$\boxed{5}$
$\boxed{⑨}$	$\boxed{4}$	$\boxed{9}$	$\boxed{⑥}$	$\boxed{3}$	$\boxed{1}$	$\boxed{⑦}$	$\boxed{8}$	$\boxed{③}$

[37] 正答3

1、2、3、…9、10と数字を書きだして、使用済みは消していく。A(2、8)である。DまたはEを検討。9のカードを取った者が、和が14になったとすると(注※)、DまたはEいずれかは(9、5)。残った数字でB、Cを探す。和が11であるためには(1、10)、(7、4)である。
(注※)これで矛盾が生じれば、9のカードを取らなかった者の和が14として考えていく。場合分け。

Ⅰ－6　方程式・不等式

[38] 正答3

線分図で解く方が速い。

②の90cmは $\frac{3}{5}$ に対応するから、

②の長さは、$90 \div \frac{3}{5} = 150(cm)$

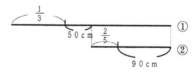

次に①の、$150 + 50 = 200(cm)$ が、$\frac{2}{3}$ に対応するから、棒の長さは $200 \div \frac{2}{3} = 300(cm)$

[39]　正答4
　　線分図で解く。（図を書いたなら、下から上へ、実際の個数に対応する線分図をたどる。）

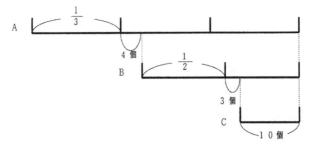

[40]　正答5
　　下図のようにていねいに線分図を書いてみる。
　　本代③（3冊目）＝1,600円を手がかりにする。

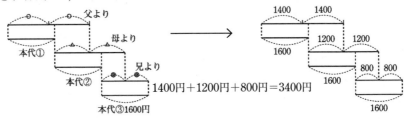

[41]　正答2
　　時間差で線分図を書いてみる。（「AとDが3秒差」の時には、2通りの場合を考える。）

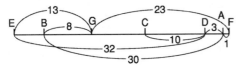

[４２]　正答5
　　題意より式をつくると(A〜E は 1 〜 10 の数)
　　　A＝B－3……①　　　B＝C－3……②　　　C＝D－2……③
　　　C＋D＝16……④　　　|E－C|＝3……⑤
　　③④より D＝9、C＝7　②に代入 B＝4　①に代入 A＝1　⑤より E は 10 か 4 だが、既に B＝4
　　なので E＝10 に決まる。
　　　A＋B＋C＋D＋E＝1＋4＋7＋9＋10＝31

(別解)
　　線分図で考えれば速い。

[４３]　正答3
　　参加人数を x 人とおく。牛肉＋羊肉＋鶏肉＋豚肉＝63(kg)だから
　　$$\frac{x}{3}+\frac{x}{4}+\frac{x}{6}+\frac{x}{8}=63\,\text{kg}\qquad x=72\,\text{人}$$

[４４]　正答4
　　現在の妻を x 歳、3 人の子どもの和を y 歳とおく。

$$39＋x＝y＋56\ \ ……①$$
$$\frac{49＋(x＋10)}{2}＝y＋30\ \ ……②$$

	夫	妻	3 人の子ども
現在	39	x	y
10 年後	49	$x＋10$	$y＋30$

　　①②を解くと、$x＝33$ 歳、$y＝16$ 歳
　　よって、$39－33＝6$ 歳

[４５]　正答3
　　結び目を考えると、両端の 2 本は 5 cm、その他のひもは 10 cm 使うことになる。全体で x 本の
　　ひもを使ったとすると、
　　　2 本×(50－5)cm＋(x－2)本×(50－10)cm＝650 cm
　　これを解くと、$x＝16$ 本

[４６]　正答4
　　A は x 勝 y 敗したとする。その時、B は y 勝 x 敗である。
　　計 50 回のじゃんけんだから　$x＋y＝50$　……①
　　　A の進んだ距離は　1 m×x 回－0.5 m×y 回＝$x－\dfrac{1}{2}y$
　　　B の進んだ距離は　1 m×y 回－0.5 m×x 回＝$y－\dfrac{1}{2}x$
　　A と B の進んだ距離の差は 24 m だから$\left(x－\dfrac{1}{2}y\right)－\left(y－\dfrac{1}{2}x\right)＝24$　……②
　　①②を計算すれば、$x＝33$ 回

[４７]　正答３

情景図を書く。Ａが３万ずつ貯金した
期間をxヶ月とおく。

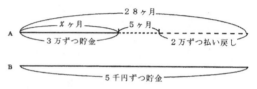

28ヶ月後に、Ａの貯金額＝Ｂの貯金額だから、

$30,000x - 20,000 \times (28 - x - 5) = 5,000 \times 28$　　$\therefore x = 12$ヶ月

Ａの貯金額が最大になったのは、12ヶ月貯金し続けて払い戻す前までの間だから、

$30,000 \times 12$ヶ月$= 360,000$円

[４８]　正答１

終わった時の持ち点は全員同じなので、これをx点とおいて表をつくる。

	始め	終り
Ａ	$x-25$	x
Ｂ	$x-35$	x
Ｃ	$x+10$	x
Ｄ	$\dfrac{x}{2}$	x
Ｅ	$\dfrac{3x}{2}$	x
計	500	

（Ｅははじめの持ち点の$\dfrac{2}{3}$になったことに注意）

$x - 25 + x - 35 + x + 10 + \dfrac{x}{2} + \dfrac{3}{2}x = 500$点だから$x = 110$点

よって、はじめの持ち点はＡ85点、Ｂ75点、Ｃ120点、Ｄ55点、Ｅ165点。

[４９]　正答５

子供をx人、キャンディをy個とおく。

２個ずつ配ると、33個残るから、

キャンディの個数＝２個ずつ配った合計＋残った33個より、

$y = 2x + 33$　……①

次に、４個ずつ配ると10個以上残るから、

キャンディの個数－４個ずつ配った合計≧10個より、

$y - 4x \geqq 10$　……②

次に、６個ずつ配ると10個以上足りなくなるから、

６個ずつ配った合計－キャンディの個数≧10個より、

$6x - y \geqq 10$　……③

①式を②③にそれぞれ代入すると、

②より、$x \leqq 11.5$　③より、$x \geqq 10.75$より、$10.75 \leqq x \leqq 11.5$

xは人数だから整数。よって、子供は11人。

A組の人数をx人とおく。次に、「A組では1人4本ずつでは足りなく…、B組では1人4本ずつでは余り…」より、B組の方が少ないことが分かる。その差は5人だから、B組の人数は$(x-5)$人。

さて、A組では3本ずつ配ると余り、4本ずつ配ると足りないことから、鉛筆の数で不等式をつくると、

　$3x < 48$本$< 4x$

整理すると、$12 < x < 16$　……①

B組では4本ずつ配ると余り、5本ずつ配ると足りないから、

　$4(x-5) < 48$本$< 5(x-5)$

整理すると、$14.6 < x < 17$　……②

①②より、$x = 15$人である。

さて、A組の15人にちょうど4本ずつ配ると、15人×4本＝60本必要。

よって、少なくともあと$60-48 = 12$本は必要となる。

一番極端な場合を考えてみるのがポイントである。

まず、必ず当選する最低得票数を考えてみよう。この時は、当選者2人と次点者1人の計3人が競りあう場合である。2名記入方式だから、票数は$50×2 = 100$票ある。この100票を3人で分ければ、$100÷3 \fallingdotseq 33.3$票　よって、これより多い34票以上であればA君はどんな場合でも当選確実である。

次に、落選確実の場合。A君の票ができるだけ少ない場合。1人の当選者が50票を得て、残り50票を他の4人で分けると考える。$50÷4 = 12.5$票　即ちこれより下の12票以下であれば、どんな場合でもA君は落選する。

Ｉ－7　集合

◇練習の正答

①　9個　　②　17個　　③　600個

3科目とも平均点以上の者をx人とおくと、
公式より

　$33 = 19+24+26-(15+19+16)+x$

の式が成立する。これを解くと、

　$x = 14$人

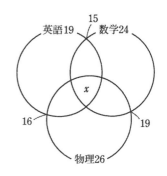

－ 15 －

[５３] 正答4

ベン図をかいてみる。

この問題はそれぞれに数を入れてみた方がよい。

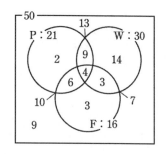

[５４] 正答4

図のように各部分に記号をつけてみる。

条件より、$a+b+c=18$ ……①

また、$\quad a+x=9$ ………②

$\qquad b+x=11$ ………③

$\qquad c+x=10$ ………④

②＋③＋④より、

$\quad a+b+c+3x=30$

これに①を代入すれば、

$\quad 18+3x=30 \qquad \therefore x=4$

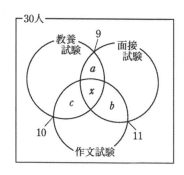

[５５] 正答3

A紙 $\quad 1350\times0.6=810$

B紙 $\quad 1350\times0.52=702$

AB両紙 $\qquad\qquad 620$

他の新聞（C紙）$1350\times0.2=270$　求めるのは斜線部。

$\quad A\cup B=810+702-620=892$

よって斜線部は、$1350-892-270=188$ 戸

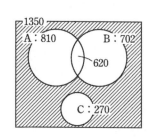

[５６] 正答4

英語70点以上をx人、数学70点以上をy人とおくと、

$\quad 0.6x=0.3y$ ……①

一方、$A\cup B$で式をつくると、

$\quad 500-20=x+y-0.6x$ ……②

①②を解くと$x=200$（人）

よって、両方とも70点以上の者$0.6x$は、

$\quad 0.6\times200=120$ 人

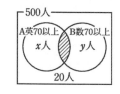

（別解）

比で考える。英語だけ70点以上と英数ともに70点以上は40％：60％＝4：6、一方、数学だけ70点以上と数英ともに70点以上は70％：30％＝7：3、よって、連比にすると

　「英語だけ」：「英数」：「数学だけ」＝4：6：14

英数ともに70点以上は、$(500-20)\times\dfrac{6}{4+6+14}=120$ 人

[57] 正答3

A∪B＝80－8＝72

A∩B＝72－60＝12

よって、A＋B＝60＋2×12＝84

A紙とB紙の割合が4：3より

A紙は $84 \times \dfrac{4}{7} = 48$

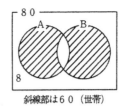

斜線部は60（世帯）

[58] 正答2

できるだけ重ならないように、線分図をかい
てみる。

すると、ラジオの8人はファミコン、自転車
とどうしても重なる。

即ち、3つとも持っているものは少なくとも
8人はいる。

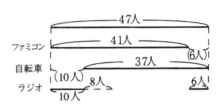

I－8　割合・百分率

◇練習の正答

①　72人　　②　48人　　③　20%　　④　200人

[59] 正答5

表をつくる。この問題では増減分を利用してもよい。

$x + y = 850$　……①

$-0.09x + 0.08y = 850 \times 0.04$　……②

これを解くと $y = 650$ 人

今年の女子生徒数は、$650 \times 1.08 = 702$ 人

	男	女	計
昨年	x	y	850
増減分	$-0.09x$	$+0.08y$	850×0.04

（単位：人）

[60] 正答5

1230%、2500%の値は増加分だけであることに注意する。

昨年は、

$$20 + 20 \times \frac{1230}{100} = 20 + 246 = 266$$

今年は、

$$266 + 266 \times \frac{2500}{100} = 266 + 6650 = 6916$$

[61] 正答2

受験者をx人とおくと、下図のように整理される。

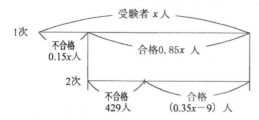

1次不合格者数＋2次不合格者数＋2次合格者数＝受験者数
だから、

$0.15x + 429 + (0.35x - 9) = x$　これを解くと$x = 840$人

よって、合格者は、$0.35 \times 840 - 9 = 285$人

[62] 正答5

割合（%）の問題だから、来月の生活費を仮に100円とおいてよい。

食費	50円	→	10%増だから　$50 \times 1.1 = 55$円
被服費	15円	→	20%増だから　$15 \times 1.2 = 18$円
その他	35円	→	（　　）円
計	100円		計 100円

よって、来月の「その他」の費用は、$100 - (55 + 18) = 27$円

割合（百分率）に直せば、$\dfrac{27円}{100円} \times 100 = 27\%$

[63] 正答1

割合の問題なので、全車の台数を仮に100台と考える。

白は75台、赤は25台で、赤のうち20%が国産車だから、25台×0.2＝5台である。

赤のうち80%が輸入車だから、25台×0.8＝20台である。

また、国産車の全台数は80台だから、白の国産車は、80台－5台＝75台

表に整理すると、次のようになる。

	白　75台	赤　25台	計　100台
国産車	75台	5台	80台
輸入車	（0台）	（20台）	（20台）

よって、白色の車に占める輸入車の割合は、$\dfrac{0}{75} \times 100 = 0\%$

[64] 正答1

人口密度は$\dfrac{人口（人）}{面積（km^2）}$である。

	面積（km^2）	人口（人）
A町	130	$130 \times 65 = 8450$
B町	70	$70 \times 150 = 10500$
C町	200	18950

よって、C町の人口密度は$\dfrac{18950}{200} = 94.75$人/km^2

[６５] 正答3

未婚者数を x 人とすると

$600 \times 0.235 \leqq x < 600 \times 0.245$

$141 \leqq x < 147$

x は整数だから $141 \leqq x \leqq 146$

未婚女性の人数を y 人とすると

$600 \times 0.155 \leqq y < 600 \times 0.165$

$93 \leqq y < 99$

y は整数だから $93 \leqq y \leqq 98$

よって、未婚男性は最小のときと最大のときを考えると、

$141 - 98 = 43$ 人から、$146 - 93 = 53$ 人の間である。

Ⅰ－9　濃度

◇練習の正答

① 25%　② 20%　③ 100 g　④ 8%

[６６] 正答2

砂糖水を x g とおく。

	20%	+	砂糖	−	水	⇒	40%
砂糖水の量	x		50		-100		$x-50$
砂糖の量	$\frac{20}{100}x$	+	50			$=$	$\frac{40}{100}(x-50)$

「砂糖の量」の式を解くと、$x = 350$ g

[６７] 正答4

物質を x g とおく。

	20%	+	物質	⇒	40%
物質と水の量	245		x		$(245+x)$
物質の量	$\frac{20}{100} \times 245$	+	x	$=$	$\frac{40}{100}(245+x)$

「物質の量」の式を解くと、$x \fallingdotseq 81$ g

[68] 正答2

食塩の量を x g とおく。

	6%	+	塩	⇒	10%
食塩水の量	270		x		$(270+x)$
食塩の量	$\dfrac{6}{100} \times 270$	+	x	=	$\dfrac{10}{100}(270+x)$

「食塩の量」の式を解くと、$x = 12$ g

	10%	+	水	+	塩	⇒	? %
食塩水の量	282		100.2		17.8		400
食塩の量	$\dfrac{10}{100} \times 282$			+	17.8	=	46

出来た食塩水の濃度は $\dfrac{46}{400} \times 100 = 11.5\%$

[69] 正答5

求める食塩水の濃度を $x\%$ とおき，食塩水との食塩の移動する量を調べると右図のようになる。
ここで，最後の C′ の食塩に着目すると
$$\dfrac{0.5}{100} \times 40 = \dfrac{5}{300}x$$
これを解いて $x = 12\%$

（途中段階における食塩水の濃度を計算せずに解くのがポイントである。）

	はじめ		A		A′
	$x\%$	+	水	→	?
食塩水の量	10		10		20
食塩の量	$\dfrac{10}{100}x$	+	0	=	$\dfrac{10}{100}x$

	A′ の $\dfrac{1}{2}$ (10g)		B		B′
	?	+	水	→	?
食塩水の量	10		20		30
食塩の量	$\dfrac{10}{100}x \times \dfrac{1}{2}$	+	0	=	$\dfrac{5}{100}x$

	B′ の $\dfrac{1}{3}$ (10g)		C		C′
	?	+	水	→	0.5%
食塩水の量	10		30		40
食塩の量	$\dfrac{5}{100}x \times \dfrac{1}{3}$	+	0	=	$\dfrac{5}{300}x$

[７０]　正答 2

最初の予定の水の量を x g とおく。

<table>
<tr><td></td><td>(予定)</td><td>$\boxed{15\%}$</td><td>$+$</td><td>$\boxed{水}$</td><td>$\Rightarrow$</td><td>$\boxed{10\%}$</td></tr>
<tr><td></td><td>食塩水の量</td><td>200</td><td></td><td>x</td><td></td><td>$(200+x)$</td></tr>
<tr><td></td><td>食塩の量</td><td>$\dfrac{15}{100}\times 200$</td><td></td><td></td><td>$=$</td><td>$\dfrac{10}{100}(200+x)$</td></tr>
</table>

「食塩の量」の式を解いて、最初の予定の水の量を出す。

$x=100$ g 従って、3 ％の
食塩水 100 g 混ぜること
になる。

<table>
<tr><td></td><td>$\boxed{15\%}$</td><td>$+$</td><td>$\boxed{3\%}$</td><td>$\Rightarrow$</td><td>$\boxed{?\ \%}$</td></tr>
<tr><td>食塩水の量</td><td>200</td><td></td><td>100</td><td></td><td>300</td></tr>
<tr><td>食塩の量</td><td>$\dfrac{15}{100}\times 200$</td><td>$+$</td><td>$\dfrac{3}{100}\times 100$</td><td>$=$</td><td>33</td></tr>
</table>

出来上がった食塩水の濃度は $\dfrac{33}{300}\times 100=11\%$

[７１]　正答 2

水を x g、出来上がった食塩水の濃度を y ％とおいて、情景図を書いて考える。

<table>
<tr><td></td><td>$\boxed{4\%}$</td><td>$+$</td><td>$\boxed{6\%}$</td><td>$+$</td><td>$\boxed{水}$</td><td>$\rightarrow$</td><td>$\boxed{y\%}$</td></tr>
<tr><td>食塩水の量</td><td>300</td><td></td><td>200</td><td></td><td>x</td><td></td><td>$500+x$</td></tr>
<tr><td>食塩の量</td><td>$\dfrac{4}{100}\times 300$</td><td>$+$</td><td>$\dfrac{6}{100}\times 200$</td><td>$+$</td><td></td><td>$=$</td><td>$\dfrac{y}{100}\times(500+x)$</td></tr>
</table>

食塩の量の式を整理すると、$y=\dfrac{2400}{500+x}$ ％

この濃度を 3 ％以上 4 ％以下にしたいから

$3\leqq \dfrac{2400}{500+x}\leqq 4$

$1500+3x\leqq 2400 \qquad x\leqq 300$

$2400\leqq 2000+4x \qquad 100\leqq x \qquad \therefore\ 100\leqq x\leqq 300$

[72] 正答4

濃度（割合）を求めるので、2:3:5の食塩水を200g、300g、500gと考えやすい仮の数字においてやる。

$$\boxed{30\%} \quad + \quad \boxed{20\%} \quad + \quad \boxed{10\%} \quad \rightarrow \quad \boxed{?\%}$$

| 食塩水の量 | 200 | 300 | 500 | 1000 |

食塩の量　$\dfrac{30}{100}\times200 \quad + \quad \dfrac{20}{100}\times300 \quad + \quad \dfrac{10}{100}\times500 \quad = \quad 60+60+50$

$$濃度＝\frac{食塩}{食塩水}\times100=\frac{170}{1000}\times100=17\%$$

[73] 正答1

4%の食塩水を5t(g)、9%の食塩水を3t(g)とおく。

$$\boxed{4\%} \quad + \quad \boxed{9\%} \quad - \quad \boxed{水} \quad \rightarrow \quad \boxed{10\%}$$

| 食塩水の量 | 5t | 3t | −66 | 8t−66 |

食塩の量　$\dfrac{4}{100}\times5t \quad + \quad \dfrac{9}{100}\times3t \qquad\qquad = \dfrac{10}{100}\times(8t-66)$

「食塩の量」の式を解くと、t＝20

よって、9%の食塩水は3t(g)だから、3×20＝60g

[74] 正答2

食塩水を一定量汲みだし、同量の水を入れて薄めると、濃度は最初の量に対する水の分だけ薄くなる。

まず、$\dfrac{1\,kg}{5\,kg}=\dfrac{1}{5}$薄まるから、濃度は$\dfrac{4}{5}$になる。

次に、$\dfrac{2\,kg}{5\,kg}=\dfrac{2}{5}$薄まるから、濃度は$\dfrac{3}{5}$になる。

よって、$25\%\times\dfrac{4}{5}\times\dfrac{3}{5}=12\%$

Ⅰ－10　対比

◇練習の正答

①　600円　　②　9:12:20　　③　12:9:10　　④　4:6:15

[75] 正答2

連比をだすと右のようになる。それぞれの予算を42t(円)、35t円、15t円とおく。運動部は42t＝21,000円だから、t＝500
演劇部とカメラ部の差は、35t−15t＝20tだから、
　20t＝20×500＝10,000円

運		演		カ
6	:	5		
		7	:	3
42	:	35	:	15

[76] 正答5

右表の出資額を簡単な比にすると、A：B：C＝20：17：13

よって、Cの配分は $1000\,万円 \times \dfrac{13}{20+17+13} = 260\,万円$

	A	B	C（万円）
	1000	600	400
		250	250
計	1000	850	650

[77] 正答2

男女の合格者の比が7：6なので、それぞれ7m（人）、6m（人）とおける。不合格者の比が9：7なので、それぞれ9n（人）、7n（人）とおく。

右の表より、

$7m + 9n = 1000$ ……①

$6m + 7n = 800$ ……②

これを解くと、m＝40

よって、合格者の合計 $13m = 13 \times 40 = 520$ 人

	男	女（人）
合格者	7m	6m
不合格者	9n	7n
計	1000	800

[78] 正答5

A、Bに配ったみかんの個数は1：2だから、それぞれ x 個、$2x$ 個とおく。りんごは2：1だから、それぞれ $2y$ 個、y 個とおく。

A、Bそれぞれの合計個数は、

$(x+2y)$ 個、$(2x+y)$ 個で、それが2：3だから、

$(x+2y):(2x+y) = 2:3$

$4x + 2y = 3x + 6y$

∴ $x = 4y$

最初にあったみかんとりんごの個数比は、

$3x:3y = x:y = 4y:y = 4:1$

	A	B	計
みかん	x 個	$2x$ 個	$3x$ 個
りんご	$2y$ 個	y 個	$3y$ 個
計	$x+2y$ 個	$2x+y$ 個	

[79] 正答4

題意を式にすると

$(A+B):C = 5:2$ ……①　　内項の積＝外項の積より　　$5C = 2A + 2B$ ……①′

$(B+C):A = 4:1$ ……②　　　　　　　　　　　　　　$4A = B + C$ ……②′

大小を比較するには1つの文字で表すようにする。Bで表してみると①′②′よりCを消去すると、

$A = \dfrac{7}{18}B$、②′に代入すると $C = \dfrac{5}{9}B$、

A、B、CをBで表すと、$A = \dfrac{7}{18}B$、$B = \dfrac{18}{18}B$、$C = \dfrac{10}{18}B$、

よって、B＞C＞A

（別解） A、B、Cが具体的な数字で置き換えられるなら、大小関係はすぐわかる。

$(A+B):C = 5:2$

$(B+C):A = 4:1$ より、$5+2=7$ と $4+1=5$ の最小公倍数35をヒントにして、数字が置き換えられないかを考える。

$(A+B):C = 25:10$

$(B+C):A = 28:7$ （∵比の計を35にそろえる）

上記の式より、C＝10、A＝7、B＝18　∴B＞C＞A

I－11　利益

◇**練習の正答**

①　5600 円　　②　2000 円　　③　2000 円　　④　5000 円

[80]　**正答 4**

原価を x 円とおく。

売価は定価 8,000 円の 15%引きだから

　　8000 円× 0.85 ＝ 6800 円

ところで、利益は原価の 25%でもあるから

　　6800 － x ＝ 0.25x

　　1.25x ＝ 6800　　∴ x ＝ 5440 円

原価	x 円
定価	8000円
売価	6800円
利益	6800－x 円

[81]　**正答 5**

原価	a 円
定価	
売価	1.15a 円
利益	0.15a 円

8%引き（×0.92）

定価の 92%が、売価 1.15a 円に相当するから、

$$定価 = \frac{1.15a}{0.92} = 1.25a$$

よって、定価は原価の 1.25a － a ＝ 0.25a 増し。つまり 25%増し。

（別解）　割合の問題なので考えやすい数値でおく。

原価	100 円
定価	x 円
売価	115 円
利益	15 円

8%引き（×0.92）

定価の 8%引きが売価だから　　0.92x ＝ 115　　∴ x ＝ 125 円

原価 100 円を定価 125 円にしたから 25%増し。

[82]　**正答 4**

割合の問題なので、考えやすい数値でおく。1 回目の価格を 100 円とおくと最後の価格は 1.5 倍だから 150 円。

最初の価格	100円
2回目の価格	x 円
最後の価格	150円

25%値上げ（×1.25）

2 回目の価格は、25%値上げで 150 円だから 1.25x ＝ 150 より、x ＝ 120 円

よって、100 円が 120 円に値上がりしているので、20%値上げ。

[83]　**正答 2**

割合の問題なので、考えやすい数値でおく。ジュースの定価を 100 円とおく。売出し期間中は 12%引きだから、88 円。

そして、10 本分の値段 880 円で 11 本買えたから、1 本当たり 880 円÷ 11 本＝ 80 円。

これは定価 100 円の 20%引きである。

[84] 正答 5

1 個あたりの原価を x 円とおく。3 通りの売り方をしており、それぞれ 1 個当たりの利益は表のようになる。

原価		x 円	
定価	1.3x	1.1x	0
利益	0.3x	0.1x	$-x$

利益で方程式をつくる

600 個 × 0.3x + 300 個 × 0.1x + 100 個 × ($-x$) = 330000 円　　∴ $x = 3000$ 円

よって 1.5 割の利益の時は、3000 円 × 0.15 × 1000 個 = 450000 円

(別解)　「売上総額 − 原価総額 = 総利益」で式を作ってもよい。

600 個 × 1.3x + 300 個 × 1.1x − 1000 個 × x = 330000

これを解くと、$x = 3000$

よって 1.5 割の利益の時は、3000 円 × 0.15 × 1000 個 = 450000 円

[85] 正答 4

160 円で売った個数を x 個とおくと、それぞれ 1 個当たりの利益は表のようになる。

		x 個	10 個	15 個
原価	120	120x	1200	1800
定価	160	160x		
売価	160	160x	0	900
利益	40	40x	−1200	−900

総利益は、40x − 1200 − 900 = 6900 円　　∴ $x = 225$ 個

よって、総仕入れ数は、225 + 10 + 15 = 250 個

[86] 正答 5

それぞれの原価を x 円、y 円とおく。

	A	B
仕入値	x	y
定価	1.2x	1.3y
売価	1.08x (1.2x × 0.9)	1.17y (1.3y × 0.9)
利益	0.08x	0.17y

この表より、仕入れ値と利益について式を立てると

$x + y = 13000$

$0.08x + 0.17y = 1400$

この式を解くと、$x = 9000$、$y = 4000$

よって、$x - y = 5000$ 円

[87]　正答5
定価が1個60円、それは20%の利益を見込んでいるから、仕入値は
60円÷1.2＝50円　（∵仕入値×1.2＝定価）
仕入れ総額は10,000円だから、総個数は
10,000円÷50円＝200個
定価で売れた個数をx個とおくと、利益について下表のようになる。
なお、全体の利益は10,000円×0.176＝1760円

	1個分(円)		定価分(x個)	1割引き分(200−x)個	合計
仕入れ	50				
定　価	60				
売　価	60	54			
利　益	10	4	10x	4(200−x)	1760

利益から式をつくると、
$$10x+4(200-x)=1760 \quad \therefore x=160 \text{個}$$

Ⅰ－12　速さ

◇練習の正答
①　1200、20　　②　54　　③　4.5

[88]　正答2
距離をxmとおく。
(歩いてかかる時間)−(自転車でかかる時間)＝9分＋15分
$$\frac{x}{50}-\frac{x}{350}=24 \text{ を解くと、} x=1400 \text{ m}$$

[89]　正答2
距離を$x$kmとおく。単位に注意して30分を時間に変える。
(朝の時間)−(夕の時間)＝$\frac{30}{60}$(時間)だから、
$$\frac{x}{30}-\frac{x}{50}=\frac{30}{60} \text{ を解く。} \quad \therefore x=37.5 \text{ km}$$

[90]　正答3
「速さと時間は反比例」の考え方で解いてみよう。ふだんはx分かかるとする。
道のりの半分は、ふだんは$\frac{1}{2}x$分かかるが、今回は3倍の速さなのでかかる時間は、
$$\frac{1}{2}x \times \frac{1}{3}=\frac{1}{6}x \text{分}$$
残り半分は、ふだんとおなじ$\frac{1}{2}x$分
(ふだんかかる時間)−(今回かかった時間)＝10分＋5分だから
$$x-\left(\frac{1}{6}x+\frac{1}{2}x\right)=15 \text{分} \quad \therefore x=45 \text{分}$$
7時30分に家を出て45分かかるから、7時30分＋45分＝8時15分

[９１]　正答1

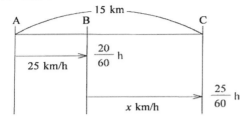

（AB 間の距離）＋（BC 間の距離）＝15 km だから

$$25 \times \frac{20}{60} + x \times \frac{25}{60} = 15 \text{ km}$$

$$\therefore x = 16 \text{ km}$$

[９２]　正答4

行きにかかる時間で式をつくると

$$\frac{x}{4} + \frac{y}{5} = 3\frac{30}{60}$$

帰りにかかる時間を式にする（行きと帰りは、
上り坂と下り坂が逆になる）。

$$\frac{x}{5} + \frac{y}{4} + \frac{15}{60} = 3\frac{30}{60}$$

これらの式を解くと、$x = 10$、$y = 5$
よって、求める距離は $10 + 5 = 15$ km

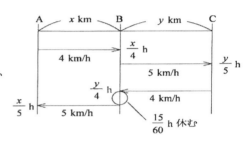

[９３]　正答3

折り返し地点までの距離を x m として、線分図は下記のようになる。

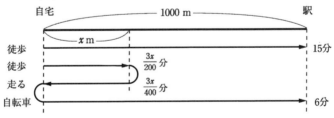

歩く速さは、$\dfrac{1000}{15} = \dfrac{200}{3}$ m/分

走る速さは、$\dfrac{200}{3} \times 2 = \dfrac{400}{3}$ m/分

自転車の速さは、$\dfrac{200}{3} \times 2.5 = \dfrac{500}{3}$ m/分

移動にかかる時間を計算して線分図に書き込む。
（徒歩の時間）＋（走る時間）＋（自転車の時間）＝15 分だから

$$\frac{3x}{200} + \frac{3x}{400} + 6 = 15$$

これを解いて、$x = 400$ m

[94]　正答 5

まず距離を求める。1時間半(90分)の間に、
12 km/h(200 m/分)の速さで、(20＋20＋10)分
6 km/h(100 m/分)の速さで、(20＋20)分行ったことになる。
よって距離は、200×50 分＋100×40 分＝14000 m
自転車の速さは 18 km/h＝300 m/分だから、
かかる時間は $14000 \div 300 = 46.6\cdots \fallingdotseq 47$(分)

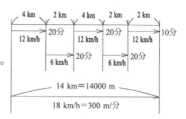

[95]　正答 5

A が 2000 m 走るのにかかった時間を考える。
$(8 \times 13) + (8 \times 15) + (4 \times 16) = 288$ 秒
次にこの 288 秒時点での B の距離を考える。
ところで B は 4 周＋ 4 周＋ 7 周＝ 15 周(1500 m)走るのに、
$(4 \times 12) + (4 \times 14) + (7 \times 16) = 216$ 秒かかっている。
残り $288 - 216 = 72$ 秒の間には
72 秒 $\times$ 5 m/秒＝360 m　(∵ 最後の 5 周は、100 m を 20 秒で走るので速さは 5 m/秒)。
すなわち A が走り終えた時点で、B が走った距離は
1500 m ＋ 360 m ＝ 1860 m
ゴールまでは、
2000 m － 1860 m ＝ 140 m

[96]　正答 5

「往復」とあるが、直線として考えた方がわかりやすい。
また、適当な数値(例えば、$\frac{1}{3}$ の距離を速さの数の最小公倍数である 72 km)でおくとよい。

全行程の平均時速は、$\dfrac{\text{全距離}}{\text{全時間}}$ で求める。

まず、全時間は $\dfrac{72}{24} + \dfrac{72}{18} + \dfrac{72}{12} = 3 + 4 + 6 = 13$ 時間

よって、平均時速は、$\dfrac{72 \times 3}{13} = 216 \div 13 \fallingdotseq 16.6$ km/h

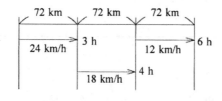

[97]　正答2

平均時速＝$\dfrac{距離の合計}{時間の合計}$ である。

割合（時速）を求める問題だから、距離の比 $3:2$ を適当な数値（60 km/h と 40 km/h の公倍数が計算しやすい）におきかえて考える。ここでは 360 km と 240 km とおいてみよう。

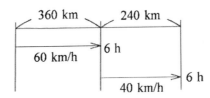

距離の合計は $360 + 240 = 600$ km

時間の合計は $\dfrac{360}{60} + \dfrac{240}{40} = 12$ 時間　よって、平均速度は $\dfrac{600}{12} = 50$ km/h

[98]　正答1

二つの消防車の速さの比は、

$a:b = 48\,\text{km/h} : 72\,\text{km/h} = 2:3$

進む距離は、速さに比例するから、同時に着いた火災現場は

A 地点から見て、$2:3$ の地点。即ち $\dfrac{2}{5}$ 地点である。

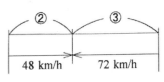

次に、「30 秒前の距離」を考える。まずそれぞれの速さを秒速に変えると、

$a = 48\,\text{km/h} = \dfrac{48000\,\text{m}}{3600\,\text{秒}} = \dfrac{40}{3}\,\text{m/秒}$

$b = 72\,\text{km/h} = \dfrac{72000\,\text{m}}{3600\,\text{秒}} = 20\,\text{m/秒}$　（a の速さを $\dfrac{3}{2}$ 倍してもよい。）

この両消防車は、1 秒間に $\left(\dfrac{40}{3} + 20\right)$ m ずつ差を縮めている。

よって到着 30 秒前には、$\left(\dfrac{40}{3} + 20\right) \times 30 = 1000\,\text{m} = 1\,\text{km}$ の距離が両消防車間にあった。

[99]　正答1

「追い越し」の問題は、1 分間に何 m ずつ差が縮まるかを考える。A が出発してから 4 分後には、B との差は

$4 \times 45 = 180$ m である。

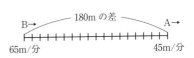

遅れて出発した B は $65 - 45 = 20$ m/分ずつ差を縮めるから $180 \div 20 = 9$ 分後に追い越すことになる。

つまり、$9 \times 65 = 585$ m 地点で追い越す。その地点の木の本数を求めると、15 m 間隔で植えられているから、

$585 \div 15 = 39$ 本、最初の 1 本を加えて、$39 + 1 = 40$ 本

［１００］　正答4

情景図で、父と長男の関係に注目する。父と長男では、20
秒間に差が、30－10＝20 m 縮まっている。

つまり1秒に1 m ずつ差が縮まっている。

従って、あと 10 m の差を縮めるには 10 秒かかる。

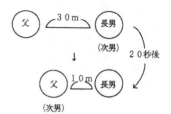

［１０１］　正答5

AとBでは、10分後にAが 120 m 先に行っているという
から、1分間で

　　120 m ÷ 10 分＝ 12 m の差がつく。

そこで、AとBの速さを適当な数値に置き換えてみる。Aを 112 m/分、Bを 100 m/分 とおく。
（A＝x m/分、B＝$(x-12)$ m/分 でも可）

また、「動く歩道」の速さの単位を分速にそろえる。1 m/秒→ 60 m/分。Bはその「動く歩道」
を歩くから、その時の速さは「Bの速さ＋動く歩道の速さ」で

　　100＋60＝160 m/分

すなわち1分後に 160 m 地点に進む。

一方、Aの速さは 112 m/分だから、1分後に 112 m 地点に進む。よって、1分後にはBの方が

　　160 m － 112 m ＝ 48 m 先に進んでいる。

［１０２］　正答2

「追い越し」と「出会い」の問題。

トラックを x m、BとCの速さを a m/分 とおく。

AはBに9分ごと追い抜かれるから、9分間でのBとAの進む距離の差がトラック1周分になる。

　　$(a-100)\times9=x$　……①

一方、AとCは3分ごとに出会うから、3分間でAとCの進む距離の和がトラック1周分になる。

　　$(100+a)\times3=x$　……②

①②を解けば、$x=900$ m

［１０３］　正答1

Aの速さ 25 km/h → $\dfrac{1250}{3}$ m/分　　　Bの速さ 20 km/h → $\dfrac{1000}{3}$ m/分

トラック1周を x m とおく。

さて、「追い越す」とは、AがBに1周分の差をつけることであるから、
1分間での2人の差×9分＝1周分

　　$\left(\dfrac{1250}{3}-\dfrac{1000}{3}\right)\times9=x$　　∴ $x=750$ m

次に逆方向を考える「出会う」とは、AとBの進む合計が1周分であるから、出会うまでの時間
を y 分とおくと、1分間での2人の合計×y分＝1周分だから

　　$\left(\dfrac{1250}{3}+\dfrac{1000}{3}\right)\times y=750$　　∴ $y=1$ 分

[104] 正答2

「追い越し」と最小公倍数の問題である。

父の速さ……330 m/分、母の速さ……270 m/分、子の速さ……250 m/分

それぞれ2人ずつが一緒になるのは何分ごとかをまず考える。なお、「一緒になる」とは、1周分（1200 m）の差がつくことである。

父と母は1分間に 330 − 270 = 60 m ずつ差がつくから、一緒になるのは、

$\frac{1200}{60} = 20$ 分ごとである。

母と子は 270 − 250 = 20 m だから、

$\frac{1200}{20} = 60$ 分ごとに一緒になる。

子と父は 330 − 250 = 80 m だから、

$\frac{1200}{80} = 15$ 分ごとに一緒になる。

次に、3人がスタート後初めて一緒になるのは、20分、60分、15分の最小公倍数を求めればよい。

最小公倍数は 60 分。

[105] 正答1

適当な数値で考えてみる。トラックの距離を 120 m（3分、4分の公倍数）とおくと

兄の速さ $= \frac{120\,\text{m}}{3\,\text{分}} = 40$ m/分、弟の速さ $= \frac{120\,\text{m}}{4\,\text{分}} = 30$ m/分

また、$\frac{2}{3}$ の差は、$120\,\text{m} \times \frac{2}{3} = 80\,\text{m}$ の差と考えられる。

追いつくとは、その差 80 m の差をなくすことだと考える。

兄と弟は1分間に 40 − 30 = 10 m ずつ差が縮まるから、80 m の差を縮めるためにかかる時間は、

80 ÷ 10 = 8 分

（別解） グランド一周の距離を 1 とおく。

兄の速さ $\frac{1}{3}$、弟の速さ $\frac{1}{4}$、兄が走り始めたとき、弟と $\frac{2}{3}$ の差があった。

兄は弟と1分間に $\frac{1}{3} - \frac{1}{4} = \frac{1}{12}$ ずつ差を縮めるから、$\frac{2}{3}$ の距離を縮めるのに $\frac{2}{3} \times \frac{12}{1} = 8$ 分かかる。

[106] 正答2

Aが 100 m 走る間に、Bは 90 m 走った。Bが 100 m 走る間に、Cは 90 m 走った。これを比で考えると

A	:	B	:	C
100	:	90		
		100	:	90
1000	:	900	:	810

→ ∴ A：B：C = 100：90：81

つまりAが 100 m 走った（ゴールした）時には、Cは 81 m 走っている。よってCはゴールまで、

100 − 81 = 19 m

[１０７] 正答5

Aの速さ：Bの速さ＝5：4である。

Aがゴールインした時（10000 m 走った時）、B は x m 走ったとすると

　　5：4＝10000 m：x m　　∴ x＝8000 m

よって、B はあと 10000－8000＝2000 m 走らなければならない。

[１０８] 正答3

子供の速さ　x m/秒

歩道の速さ　y m/秒とおくと

逆方向の時の速さは、歩道に逆らうので、その分だけ遅くなるから

　　$(x-y)$ m/秒

同方向の時の速さは、歩道の速さも手伝って、その分だけ速くなるから

　　$(x+y)$ m/秒

いま、　（逆方向にかかる時間）：（同方向にかかる時間）＝3：1

だから　（逆方向の速さ）：（同方向の速さ）＝1：3

よって、$(x-y):(x+y)=1:3$　内項の積＝外項の積より

　　$x+y=3x-3y$　　∴ $4y=2x$

　　∴ $\dfrac{x}{y}=\dfrac{4}{2}=2$ 倍

Ⅰ－13　場合の数

◇練習の正答

① 6通り　　② 27個　　③ 18通り　　④ 24通り　　⑤ 12通り

[１０９] 正答2

樹形図で考える。

<pre>
箱A   箱B   箱C
 3 ─── 0 ─────── 0
        0 ─────── 1
 2 <
        1 ─────── 0
        0 ─────── 2
 1 <   1 ─────── 1
        2 ─────── 0
        0 ─────── 3
        1 ─────── 2
 0 <
        2 ─────── 1
        3 ─────── 0
</pre>

計 10 通り

[110] 正答1

樹形図で考える。計算でもよいが、図のほうが簡単。

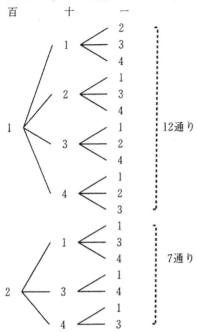

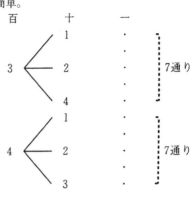

計33通り

[111] 正答2

樹形図をかき、規則性を見つける。

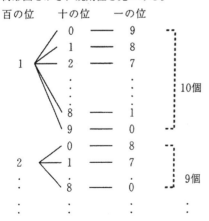

合計　$2+3+\cdots+10=\dfrac{(2+10)\times 9}{2}=54$ 個

[１１２]　正答**4**

15 kg ～ 25 kg の範囲で樹形図をかいてみる。その際、数の大きい4 kg の方を基準に考えるとよい。

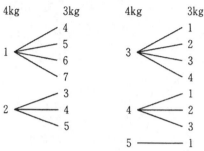

4kg　　　　3kg　　　　4kg　　　　3kg

1 — 4, 5, 6, 7
2 — 3, 4, 5
3 — 1, 2, 3, 4
4 — 1, 2, 3
5 — 1

計 15 通り

[１１３]　正答**3**

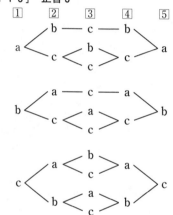

①　②　③　④　⑤

計 10 通り

［１１４］　正答4

数が少ない白い碁石の置き場所を考えてみる。（空白部は黒い碁石）

(1)	(2)	(3)	(4)	(5)	(6)	(7)
○		○		○		
○		○			○	
○		○				○
○			○		○	
○			○			○
○				○		○
	○		○		○	
	○		○			○
	○			○		○
		○		○		○

計 10 通り

(別解)

□●□●□●□●□

白が隣り合わせにならないためには、□の位置に白が入る入り方を考えればよい。

よって、$_5C_3 = 10$ 通り

［１１５］　正答2

〈**解法1**〉　15 個のリンゴを並べると下図の×印のような、リンゴにはさまれた隙間が 14 ヶ所できる。この 14 ヶ所の隙間の中から、色を区別するしきりを置く隙間を 3 ヶ所選べばよい。

○×○×○×○×○×○×○×○×○×○×○×○×○×○

組合せの計算は $_{14}C_3 = \dfrac{14 \times 13 \times 12}{3 \times 2} = 364$ 通り

〈**解法2**〉　各袋にまず 1 個ずつ入れると 11 個のリンゴが残る。この 11 個のリンゴと色の区別をする 3 個のしきりを並べる方法を同じ物を含む順列で計算する。たとえば、赤が 0 個、青が 4 個、緑が 5 個、黄が 2 個の時は下図のように並ぶ。

×○○○○×○○○○○×○○

同じ物を含む順列の計算は $\dfrac{14!}{11! \times 3!} = \dfrac{14 \times 13 \times 12}{3 \times 2} = 364$ 通り

[116] 正答4

① Aが3勝0敗の時。残るB、C、Dを考えてみる。3人とも1勝2敗のパターンは以下の2通り。

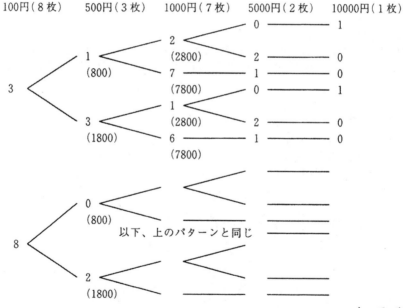

② Bが3勝0敗の時　2通り
③ Cが3勝0敗の時　2通り
④ Dが3勝0敗の時　2通り

計8通り

[117] 正答5

樹形図で考える。

| 100円(8枚) | 500円(3枚) | 1000円(7枚) | 5000円(2枚) | 10000円(1枚) |

```
                                              0 ──────── 1
                                         2 ＜
                           1 ＜          (2800)    2 ──────── 0
                          (800)     7 ──────── 1 ──────── 0
        3 ＜                        (7800)    0 ──────── 1
                                         1 ＜
                           3 ＜          (2800)    2 ──────── 0
                          (1800)    6 ──────── 1 ──────── 0
                                    (7800)

                           0 ＜
                          (800)     以下、上のパターンと同じ
        8 ＜

                           2 ＜
                          (1800)
```

よって、12通り

(別解)

10,000円は、一万円札1枚、五千円札2枚、五千円札1枚＋千円札5枚の3通り。

2000円は、千円札2枚、千円札1枚＋五百円玉2枚の2通り(五百円玉3枚＋百円玉5枚もあるが、残りで800円ができないので不適)。

800円は、五百円玉1枚＋百円玉3枚、百円玉8枚の2通り。

よって、12,800円となる組合せの方法は、3×2×2＝12通りである。

- 36 -

[118] 正答2

同じ色が隣り合わないように樹形図をかいてみる。右図のように記号をつけると考えやすい。

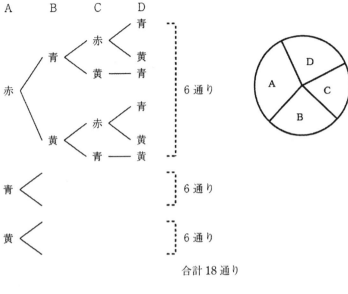

合計18通り

I－14　確率

◇**練習の正答**

① $\dfrac{5}{12}$　② $\dfrac{1}{4}$　③ $\dfrac{1}{4}$

[119] 正答4

樹形図をかいてみる。積が3の倍数になるのは、3または6を含んでいるものである。なお、確率の場合は、2つのサイコロを別々のものとして考えることに注意。積が3の倍数になるのは、下記の通り。

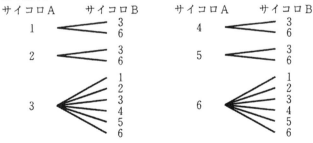

すべての場合の数は、6×6＝36通り。積が3の倍数になるには、上図より20通り。

よって、求める確率は、$\dfrac{20}{36} = \dfrac{5}{9}$

［１２０］　正答1
1個目も白、（かつ）、2個目も白、（かつ）、3個目も白だから、積の法則。1個ずつ白玉が減ることに注意。

$$\frac{6}{25} \times \frac{5}{24} \times \frac{4}{23} = \frac{1}{115}$$

［１２１］　正答2
「Aが勝つ」の余事象（Aが勝たない場合）は、n個のサイコロを振ってすべてのサイコロが4でない場合である。

よって、Aが勝つ確率は $1 - \left(\frac{5}{6}\right)^n \geqq \frac{1}{2}$

整理すると、$\left(\frac{5}{6}\right)^n \leqq \frac{1}{2}$

n＝3から代入していくと、n＝5から不適となる。よってn＝4。

［１２２］　正答3
余事象（そうではない場合）を使って求める。
　（1回で勝負がつく確率）＝1−（1回目あいこの確率）
　全ての場合の数は、3人がグー・チョキ・パーと出せるので
　3×3×3通り
である。あいこの場合の数は
　①　3人とも同じ手の場合（3通り）
　②　3人がばらばらの手の場合（3×2×1通り）
よって、1回目があいこになる確率は $\frac{3 + 3 \times 2 \times 1}{3 \times 3 \times 3} = \frac{1}{3}$

したがって、1回で勝負がつく確率は、$1 - \frac{1}{3} = \frac{2}{3}$

［１２３］　正答4
「少なくとも」とあれば、その逆（2本ともハズレ）を考える方が速い。

　（少なくとも1本が当たる確率）＝1−（2本ともハズレの確率）＝$1 - \left(\frac{13}{16} \times \frac{12}{15}\right) = \frac{7}{20}$

［１２４］　正答2
まず、各パターンの確率を整理する。晴れは○、雨は×と表記する。
　　　　○　→　○　の確率は、80％だから0.8
　一方　○　→　×　の確率は、上記の残り20％だから0.2
　　　　×　→　×　の確率は、60％だから0.6
　一方　×　→　○　の確率は、上記の残り40％だから0.4
さて、晴れであった翌々日、雨になるパターンは次の2通りある。
　①　○　→　○　→　×　　　確率は0.8×0.2＝0.16
　②　○　→　×　→　×　　　確率は0.2×0.6＝0.12
よって、求める確率は、①「または」②だから和の法則より
　0.16＋0.12＝0.28

[１２５]　正答１

和が偶数になるのは２つのパターンがある。

（偶数＝偶数＋偶数の時）

その確率は、１枚目も偶数「かつ」２枚目も偶数だから「積の法則」より

$$\frac{4}{9} \times \frac{3}{8} = \frac{1}{6} \quad \cdots\cdots①$$

（偶数＝奇数＋奇数の時）

その確率は、１枚目も奇数「かつ」２枚目も奇数だから「積の法則」より

$$\frac{5}{9} \times \frac{4}{8} = \frac{5}{18} \quad \cdots\cdots②$$

この２つのパターンは同時に起こらないから（①のパターン「または」②のパターンだから）「和の法則」。

$$\frac{1}{6} + \frac{5}{18} = \frac{4}{9}$$

[１２６]　正答２

同じ色の玉がすべて連続で出る取り出し方は、２通りある。それぞれの場合の確率を求めて、和の法則。

（金、金の場合）　　　（銀、銀、銀の場合）

$$\frac{2}{5} \times \frac{1}{4} = \frac{1}{10} \qquad \frac{3}{5} \times \frac{2}{4} \times \frac{1}{3} = \frac{1}{10}$$

よって

$$\frac{1}{10} + \frac{1}{10} = \frac{1}{5}$$

[１２７]　正答２

「袋を一つ選び、１個取り出す」とき、赤玉を取り出すパターン（確率）を考えてみる。

一つは、Ａの袋を選び$\left(\frac{1}{3}\right)$、そしてその袋から赤玉を取り出す$\left(\frac{9}{24}\right)$。

そのときの確率は、$\frac{1}{3} \times \frac{9}{24} = \frac{1}{8}$

もう一つのパターンは、Ｂの袋を選び$\left(\frac{1}{3}\right)$、そして赤玉を取り出す$\left(\frac{6}{8}\right)$。

そのときの確率は、$\frac{1}{3} \times \frac{6}{8} = \frac{1}{4}$

以上２つのパターンがある。よって、求める確率は、$\frac{1}{8} + \frac{1}{4} = \frac{3}{8}$

[１２８]　正答４

最初の試合にＡが勝ったうえで「Ａが先に３勝する」パターンを考えてみる。

①　３勝０敗の時

　　○｜○○　　　確率は　$\frac{1}{2} \times \frac{1}{2} = \frac{1}{4}$　（Ａの１勝目は計算に入れない）

②　３勝１敗の時

　　○｜○×○　　確率は　$\frac{1}{2} \times \frac{1}{2} \times \frac{1}{2} = \frac{1}{8}$

$$\bigcirc \mid \times \bigcirc \bigcirc \qquad 確率は \quad \frac{1}{2} \times \frac{1}{2} \times \frac{1}{2} = \frac{1}{8}$$

③ 3勝2敗の時

$$\bigcirc \mid \bigcirc \times \times \bigcirc \qquad 確率は \quad \frac{1}{2} \times \frac{1}{2} \times \frac{1}{2} \times \frac{1}{2} = \frac{1}{16}$$

$$\bigcirc \mid \bigcirc \times \bigcirc \times \qquad 確率は \quad \frac{1}{2} \times \frac{1}{2} \times \frac{1}{2} \times \frac{1}{2} = \frac{1}{16}$$

$$\bigcirc \mid \times \times \bigcirc \bigcirc \qquad 確率は \quad \frac{1}{2} \times \frac{1}{2} \times \frac{1}{2} \times \frac{1}{2} = \frac{1}{16}$$

よって、求める確率は $\dfrac{1}{4} + \dfrac{1}{8} \times 2 + \dfrac{1}{16} \times 3 = \dfrac{11}{16}$

[129] 正答5

傘を忘れる確率が $\dfrac{1}{5}$ だから、忘れない確率は $1 - \dfrac{1}{5} = \dfrac{4}{5}$ である。

$$求める確率 = \frac{Y線の電車に忘れる確率}{いずれかの電車に忘れる確率}$$

その際、注意しなくてはならないのは「どんなパターンがあるか」を考えてみることである。想定できるのは次の3パターンである。それぞれの確率を求める。

① X線に忘れる（X線に忘れるのだからY線、Z線は考えない）。……$\dfrac{1}{5}$

② Y線に忘れる（X線では忘れない）。……$\dfrac{4}{5} \times \dfrac{1}{5} = \dfrac{4}{25}$

③ Z線に忘れる（X、Y線では忘れない）。……$\dfrac{4}{5} \times \dfrac{4}{5} \times \dfrac{1}{5} = \dfrac{16}{125}$

よって、X、Y、Z線いずれかに忘れる確率は、$\dfrac{1}{5} + \dfrac{4}{25} + \dfrac{16}{125} = \dfrac{61}{125}$

従って、求める確率は、$\dfrac{4}{25} \div \dfrac{61}{125} = \dfrac{20}{61}$

（別解）

いずれかの電車に忘れる確率は、$1 -$「いずれの電車にも忘れない確率」によっても求められる。

「いずれの電車にも忘れない確率」は、$\dfrac{4}{5} \times \dfrac{4}{5} \times \dfrac{4}{5} = \dfrac{64}{125}$

よって、いずれかの電車に忘れる確率は、$1 - \dfrac{64}{125} = \dfrac{61}{125}$

また、「Y線の電車に忘れる確率」（X線では忘れない）は $\dfrac{4}{5} \times \dfrac{1}{5} = \dfrac{4}{25}$

従って、求める確率は、$\dfrac{4}{25} \div \dfrac{61}{125} = \dfrac{20}{61}$

Ⅱ　数的推理図形

Ⅱ－1　三平方の定理

◇**練習の正答**

① 正答　17（cm）

三平方の定理より、
$$x^2 = 8^2 + 15^2$$
$$\therefore x = \sqrt{8^2 + 15^2} = \sqrt{64 + 225} = \sqrt{289} = 17 \text{（cm）}$$

② 正答　40（cm）

三平方の定理より、
$$x^2 + 9^2 = 41^2$$
$$x^2 = 41^2 - 9^2$$
$$\therefore x = \sqrt{41^2 - 9^2} = \sqrt{1681 - 81} = \sqrt{1600} = 40 \text{（cm）}$$

③ 正答　$\sqrt{481}$（cm）

図のように頂点 A から、底辺 BC に垂線を引き、交わった点を
M とおくと、M は BC の中点になるから、BM = CM = 12（cm）
三角形 ABM は直角三角形だから、三平方の定理より、
$$h^2 + 12^2 = 25^2$$
$$h^2 = 25^2 - 12^2$$
$$h = \sqrt{25^2 - 12^2} = \sqrt{625 - 144} = \sqrt{481} \text{（cm）}$$

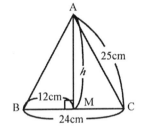

[130]　**正答1**

△ACD より、AC : CD : AD = 1 : 1 : $\sqrt{2}$ だから、AD = $10\sqrt{2}$（cm）
△ABC で、三平方の定理より
$$AB = \sqrt{AC^2 - BC^2} = \sqrt{10^2 - 8^2} = \sqrt{100 - 64} = \sqrt{36} = 6 \text{（cm）}$$
△ABD で三平方の定理より
$$BD = \sqrt{AD^2 - AB^2} = \sqrt{(10\sqrt{2})^2 - 6^2} = \sqrt{200 - 36} = \sqrt{164} = 2\sqrt{41} \text{（cm）}$$

[131]　**正答4**

右図のように記号をつけて考える。OA は球の半径だから、10 cm。
△OAB で、三平方の定理より
$$AB = \sqrt{OA^2 - OB^2} = \sqrt{10^2 - 6^2} = 8 \text{（cm）}$$

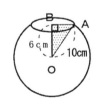

[132] 正答2

図①のように補助線を引くと、正六角形は一辺 6 cm の
正三角形 6 つに分けられる。
一辺 6 cm の正三角形の高さは、図②のように $3\sqrt{3}$ cm
である。求める面積は、一辺 6 cm の正三角形 4 つ分
であるから、

$$S = 4 \times \left(\frac{1}{2} \times 6 \times 3\sqrt{3} \right) = 36\sqrt{3} \fallingdotseq 62.3 (\text{cm}^2)$$

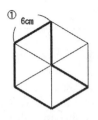

[133] 正答3

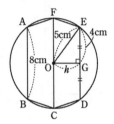

F と C を結べば、六角形は 2 つの合同な台形 ABCF、DEFC に分け
られる。
円の中心を O とすると、OE は円の半径だから 5 cm。O から DE に
垂線をおろし交わる点を G とすると、EG = 4 cm。OG = h cm とお
くと、△OGE において

$$h = \sqrt{\text{OE}^2 - \text{EG}^2} = \sqrt{5^2 - 4^2} = \sqrt{9} = 3 (\text{cm})$$

求める面積を S とすると

$$S = 2 \times 台形 \text{DEFC}$$
$$= 2 \times \frac{1}{2} \times (8 + 10) \times 3 = 54 (\text{cm}^2)$$

[134] 正答1

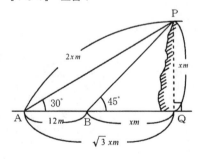

PQ = x(m) とおくと、
$\quad$ BQ = x(m)
$\quad$ AQ = $\sqrt{3}\,x$(m)
$\therefore\quad \sqrt{3}\,x = x + 12$
$\quad (\sqrt{3} - 1)x = 12$

$$x = \frac{12}{\sqrt{3} - 1} = \frac{12(\sqrt{3} + 1)}{(\sqrt{3} - 1)(\sqrt{3} + 1)} = \frac{12(\sqrt{3} + 1)}{3 - 1}$$

$$= \frac{12(\sqrt{3} + 1)}{2} = 6(\sqrt{3} + 1) \fallingdotseq 16.4 (\text{m})$$

［１３５］ 正答 3

ひし形の特徴は 4 辺の長さが等しく、対角線が互いの中点で直交している。そこでそれぞれの対角線を $2x$，$2y$ とする。

面積は $9\,\text{cm}^2$ であるから $S = 2\left(\dfrac{1}{2} \times 2x \times y\right) = 2xy = 9$ となる。

また、三平方の定理より

$$x^2 + y^2 = 4^2$$
$$x^2 + y^2 = (x+y)^2 - 2xy = (x+y)^2 - 9 = 16$$
$$(x+y)^2 = 25$$

$x + y = 5$ となり

対角線の和は $2x + 2y = 10\,(\text{cm})$ となる。

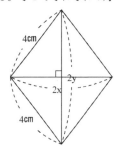

Ⅱ－2　円・おうぎ形の面積

◇練習の正答

① 正答　弧の長さ　$\pi\,(\text{cm})$、面積 $\dfrac{5}{2}\pi\,(\text{cm}^2)$

弧の長さ　$l = 2\pi \times 5 \times \dfrac{36}{360} = \pi\,(\text{cm})$

面　積　$S = \pi \times 5^2 \times \dfrac{36}{360} = \dfrac{5}{2}\pi\,(\text{cm}^2)$

② 正答　$72°$

求める角度を $x°$ とすると、

$$2 \times 3.14 \times 20 \times \dfrac{x}{360} = 25.12$$

$$x = 25.12 \times \dfrac{9}{3.14} = 72$$

③ 正答　$15\,\text{cm}^2$

$$S = \dfrac{1}{2} \times 5 \times 6 = 15\,(\text{cm}^2)$$

④ 正答　$50\pi - 100\,(\text{cm}^2)$

$$S = 2 \times \text{⬭} = 2 \times \left(\text{◻} - \text{◻}\right)$$

$$= 2 \times \left(\pi \times 10^2 \times \dfrac{90}{360} - \dfrac{1}{2} \times 10 \times 10\right) = 2 \times (25\pi - 50) = 50\pi - 100\,(\text{cm}^2)$$

⑤ 正答　$100 - 25\pi\,(\text{cm}^2)$

$$S = \text{◻} - \text{◻}$$

$$= 10^2 - \pi \times 10^2 \times \dfrac{90}{360} = 100 - 25\pi\,(\text{cm}^2)$$

⑥　正答　$3:2$
　　$BC:BD=3:2$ だから、$\triangle ABC:\triangle ABD=3:2$

⑦　正答　$4:3$
　　点 A、D から BC に垂線をおろし、BC と交わる点をそれぞれ E、F とする。
　　$\triangle ABC$ の高さは AE、$\triangle DBC$ の高さは DF だから、
　　　　$\triangle ABC:\triangle DBC=AE:DF$ となる。
　　$\triangle ABE\infty\triangle DBF$ だから、
　　　　$AE:DF=AB:DB=4:3$
　　　　$\therefore\triangle ABC:\triangle DBC=AB:DB=4:3$

⑧　正答　$S_1=\dfrac{1}{6}$、$S_2=\dfrac{1}{6}$

　　$S_1=\dfrac{1}{3}\times\dfrac{1}{2}=\dfrac{1}{6}$　　　$S_2=\dfrac{1}{3}\times\dfrac{1}{2}=\dfrac{1}{6}$

⑨　正答　$S_1=\dfrac{1}{8}$、$S_2=\dfrac{1}{3}$

　　$S_1=\dfrac{1}{4}\times\dfrac{1}{2}=\dfrac{1}{8}$　　　$S_2=\dfrac{2}{3}\times\dfrac{1}{2}=\dfrac{1}{3}$

[１３６]　正答 3

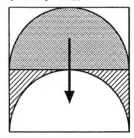

図のように、灰色部分の半円を、白い部分の半円に組み込むと、縦 4 cm、横 8 cm の長方形になるから、求める面積を S cm^2 とおくと、
　　$S=4\times8=32(\text{cm}^2)$

[１３７]　正答 4

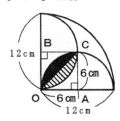

半径 12 cm のおうぎ形の中心を O、半円の中心をそれぞれ A、B、半円どうしの交点を C とし、A、B から半円に対してそれぞれ接線を引く（点 C と結ぶ）と図のようになる。
OACB は一辺 6 cm の正方形になる。
斜線部は黒く塗りつぶした部分を 2 倍すればよい。
黒く塗りつぶした部分は、

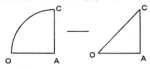

であるから、求める面積 S は
$$S=2\times\left(\pi\times6^2\times\frac{90}{360}-\frac{1}{2}\times6\times6\right)=18\pi-36\fallingdotseq21(\text{cm}^2)$$

[138] 正答4

白い部分の円の半径を r とおくと、

$r : 2a = 1 : \sqrt{2}$

$\sqrt{2}\, r = 2a$

$r = \dfrac{2}{\sqrt{2}}\, a = \dfrac{2\sqrt{2}}{2}\, a = \sqrt{2}\, a$

斜線部の面積を S とすると、

$S = (全体) - (白い部分)$

$= (正方形 + 4 \times 半円) - (白い円)$

$= \left\{ (2a)^2 + 4 \times \dfrac{1}{2} \times \pi a^2 \right\} - \pi \times (\sqrt{2}\, a)^2 = (4a^2 + 2\pi a^2) - 2\pi a^2 = 4a^2$

[139] 正答3

正方形の半分の面積を 1 とおく。($\triangle\text{ABD} = \triangle\text{BDC} = \cdots = 1$)

$\triangle\text{DEF}$ は EF を底辺と考えると、底辺は $\triangle\text{ABD}$ の $\dfrac{1}{3}$、高さは $\triangle\text{ABD}$ と等しいから、

1   $\triangle\text{DEF} = \dfrac{1}{3}$

$\triangle\text{BEG}$ は BE を底辺と考えると、底辺は $\triangle\text{ABC}$ の $\dfrac{2}{3}$、高さは $\triangle\text{ABC}$ の $\dfrac{1}{2}$ であるから、

2   $\triangle\text{BEG} = \dfrac{2}{3} \times \dfrac{1}{2} = \dfrac{1}{3}$

以下、同様に計算していくと、

3   $\triangle\text{BDJ} = \dfrac{1}{2}$

4   $\triangle\text{DGH} = \dfrac{2}{3} \times \dfrac{1}{2} = \dfrac{1}{3}$

5   $\triangle\text{AHI} = \dfrac{1}{3}$

[140] 正答1

長方形の長辺の長さを $3a$、短辺の長さを $3b$ とおいて、それぞれの面積を計算すると次のようになる。

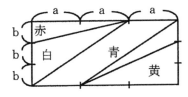

白 $= \dfrac{1}{2} \times 2b \times 2a = 2ab$

青 $= a \times 3b + \dfrac{1}{2} \times b \times 2a = 3ab + ab = 4ab$

白 : 青 $= 2ab : 4ab = 1 : 2$

[141] 正答4

GB∥DH より

AE:EF＝1:4＝AG:GD となる。

平行四辺形 GBHD と長方形 ABCD は高さが等しく、底辺の長さの比は GD:AD＝4:5 となる。

したがって、面積比は $S_{GBHD}:S_{ABCD}＝4:5$ となる。

[142] 正答5

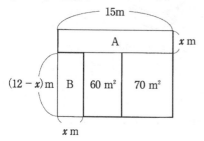

図のように二つの長方形を平行移動して、隣り合わせて並べる。

長方形 A と B の面積について、

A＋B＝12×15－(60＋70)＝50

よって、A＋B＝15x＋(12－x)x＝50

$$x^2－27x＋50＝0$$

$$(x－25)(x－2)＝0$$

$$∴ x＝25,\ 2$$

x＜12 だから、x＝2(m)

[143] 正答2

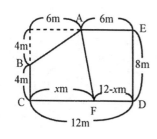

畑 ABCDE の面積

$$12×8－\frac{1}{2}×4×6＝84(m^2)$$

台形 AFDE の面積

$$\frac{1}{2}×84＝42(m^2)$$

CF＝x m とすると、

FD＝12－x m だから、台形 AFDE の面積は

$$\frac{1}{2}×(12－x＋6)×8(m^2)$$ と表される。

よって、$\frac{1}{2}×(12－x＋6)×8＝42$

これを解いて、x＝7.5(m)

[144] 正答 4

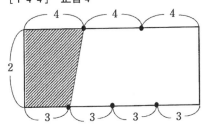

仮に、図の長方形の横の長さを 12、縦の長さを 2 とすると、長方形の面積は 24 である。また、斜線部分の台形の面積は $\frac{1}{2} \times (4+3) \times 2 = 7$ である。

よって、$\frac{7}{24}$ である。

Ⅱ－3　立体の体積と表面積

◇練習の正答

① 正答　104 cm³

$$V = \frac{1}{3} \times 26 \times 12 = 104 \,(\text{cm}^3)$$

② 正答　96π cm³

$$V = \frac{1}{3} \times \pi \times 6^2 \times 8 = 96\pi \,(\text{cm}^3)$$

③ 正答　288π cm³

$$V = \frac{4}{3} \pi \times 6^3 = 288\pi \,(\text{cm}^3)$$

④ 正答　288°

側面のおうぎ形の弧の長さ＝底面の円周だから、求める中心角を a とおくと、次の方程式ができる。

$$2\pi \times 10 \times \frac{a}{360} = 2\pi \times 8$$

$$\therefore a = 288$$

⑤ 正答　9 cm

側面のおうぎ形の弧の長さ＝底面の円周だから、母線の長さを x cm とおくと、次の方程式ができる。

$$2\pi x \times \frac{120}{360} = 2\pi \times 3$$

$$\therefore x = 9 \,(\text{cm})$$

[145] 正答4

図のように円すいの展開図を考える。

側面のおうぎ形の中心角を a とおく。

（おうぎ形の弧の長さ）＝（底面の円周）であるから、

次の方程式が成り立つ。

$$2\pi \times 5 \times \frac{a}{360} = 2\pi \times 2$$

これを解いて、$a = 144°$

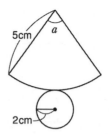

[146] 正答2

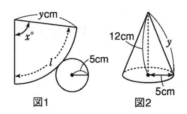

図1　　　　　図2

$$y = \sqrt{12^2 + 5^2} = 13\,(\text{cm})$$

側面の展開図のおうぎ形の弧の長さを l cm とおくと、

$l =$ 底面の円周 $= 2\pi \times 5 = 10\pi\,(\text{cm})$

$l =$ おうぎ形の弧 $= 2\pi \times 13 \times \dfrac{x}{360}$

というように、2種類の表し方ができる。よって、

$$2\pi \times 13 \times \frac{x}{360} = 10\pi$$

これを解いて $x = \dfrac{1800}{13} ≒ 138.5°$

[147] 正答1

図のように頂点に記号をつけ、O から底面に垂線 OG を引く。

△ABC は直角二等辺三角形だから、

AB : AC $= 1 : \sqrt{2}$ より、AC $= 200\sqrt{2}$ (m)

∴ AG $= 100\sqrt{2}$ (m)

△OAG において、三平方の定理より、

OG $= \sqrt{OA^2 - AG^2} = \sqrt{200^2 - (100\sqrt{2})^2} = 100\sqrt{2}$ (m)

$V = \dfrac{1}{3} \times 200 \times 200 \times 100\sqrt{2} = \dfrac{4000000\sqrt{2}}{3} ≒ 1,886,000\,(\text{m}^3)$

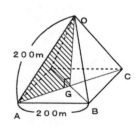

[148] 正答1

A、B の半径を $r\,\mathrm{cm}$ とすると、B の水面の半径は $\dfrac{r}{2}\,\mathrm{cm}$ である。B の水の体積は、

$$V_{\mathrm{B}} = \frac{1}{3} \times \pi \times \left(\frac{r}{2}\right)^2 \times 18 = \frac{3}{2}\pi r^2\,(\mathrm{cm}^3)$$

これを A に入れたときの深さを $x\,\mathrm{cm}$ とすると

$$\pi r^2 x = \frac{3}{2}\pi r^2 \qquad \therefore\ x = \frac{3}{2}\,(\mathrm{cm})$$

[149] 正答3

土地のたての長さを $a\,\mathrm{m}$ とする。

A の部分の土の体積を V_{A}、B の部分の土の体積を V_{B} とすると、

$$V_{\mathrm{A}} = \frac{1}{2} \times (50 + 60) \times a \times 3 = 165a\,(\mathrm{m}^3)$$

$$V_{\mathrm{B}} = \frac{1}{2} \times (20 + 30) \times a \times 5 = 125a\,(\mathrm{m}^3)$$

よって、土の体積の合計は、$165a + 125a = 290a\,(\mathrm{m}^3)$

土地を平らにした時の高さを $x\,\mathrm{m}$ とすると

$$80a \times x = 290a \qquad x = \frac{290a}{80a} \fallingdotseq 3.6\,(\mathrm{m})$$

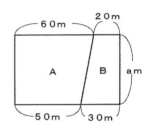

[150] 正答1

新しくできた立体は正八面体であるが、この立体の各頂点に図のように記号をつける。

$\mathrm{BD} = a$ で、$\mathrm{CD} = x$ とおくと、

$\triangle \mathrm{BCD}$ より、$x : a = 1 : \sqrt{2}$ だから、$\sqrt{2}\,x = a$

$$\therefore\ x = \frac{a}{\sqrt{2}} = \frac{\sqrt{2}}{2}a$$

求める体積は、合同な正四角すい ABCDE と FBCDE の体積を合計すればよい。

$$V = 2 \times (\text{正四角すい ABCDE}) = 2 \times \frac{1}{3} \times \left(\frac{\sqrt{2}}{2}a\right)^2 \times \frac{1}{2}a = \frac{1}{6}a^3$$

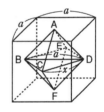

[1 5 1] 正答 2

①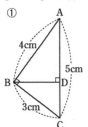

$BC = 3\,cm$、$AB = 4\,cm$ だから、$AC = 5\,(cm)$
B から AC に垂線 BD を引くと、$\triangle ABC \sim \triangle ADB$ だから、

$AD : AB = 4 : 5$
$AD : 4 = 4 : 5$
$\therefore AD = \dfrac{16}{5}\,(cm)$

$BD : AB = 3 : 5$
$BD : 4 = 3 : 5$
$\therefore BD = \dfrac{12}{5}\,(cm)$

②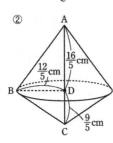

$CD = 5 - AD = 5 - \dfrac{16}{5} = \dfrac{9}{5}\,(cm)$

辺 AC を軸に 1 回転させると、図②のようになるので、2 つの円すいが上下にくっついているものと見て、体積を求めればよい。

$$V = \dfrac{1}{3} \times \pi \times \left(\dfrac{12}{5}\right)^2 \times \dfrac{16}{5} + \dfrac{1}{3} \times \pi \times \left(\dfrac{12}{5}\right)^2 \times \dfrac{9}{5} = \dfrac{48}{5}\pi$$
$$= 9.6\pi\,(cm^3)$$

Ⅱ－4　角度

◇練習の正答

① 正答　80°
　図のように∠y をおくと、$\angle y = 180 - (40 + 60) = 80°$
　対頂角は等しいから、$\angle x = \angle y = 80°$

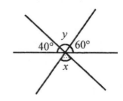

② 正答　50°
　図のように l、m に平行で 80° の角の頂点を通るように n を引く。
　すると、平行線の錯角は等しいから、図のように $x + 30 = 80$ とわかる。
　よって、$x = 80 - 30 = 50°$

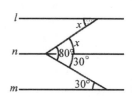

③ 正答　$\angle x = 116°$、$\angle y = 80°$
　平行線の同位角や錯角はそれぞれ等しいから、図のように64° や 100° と等しい角がわかる。
　図より、$x + 64 = 180$　$\therefore x = 180 - 64 = 116°$
　　　　　$y + 100 = 180$　$\therefore y = 180 - 100 = 80°$

④　正答　(1)　96°　　(2)　57°　　(3)　110°

(1)　中心角は円周角の 2 倍である。$x = 2 \times 48 = 96°$

(2)　円周角は中心角の $\dfrac{1}{2}$ である。$x = \dfrac{1}{2} \times 114 = 57°$

(3)　図のように $\angle y$ をおくと、中心角は円周角の 2 倍だから、
　　$y = 2 \times 35 = 70°$　　$x = 180 - y = 180 - 70 = 110°$

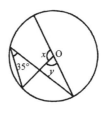

⑤　正答　40°

AB は直径だから、$\angle ACB = 90°$　　$\therefore \angle ABC = 180 - (90 + 50) = 40°$

$\overset{\frown}{AC}$ の円周角だから、$\angle CDA = \angle ABC = 40°$

⑥　正答　(1)　98°　　(2)　82°

(1)　$\angle ADC = 180 - (33 + 49) = 180 - 82 = 98°$

(2)　$\angle ABC + \angle ADC = 180°$
　　$\angle ABC + 98 = 180°$　　$\therefore \angle ABC = 180 - 98 = 82°$

⑦　正答　22°

BC と円との交点を D とすると、接弦定理より、
　　$\angle BDA = \angle SAB = 68°$
また、半円 $\overset{\frown}{BD}$ の円周角だから、$\angle BAD = 90°$
　　$\therefore \angle ABC = 180 - (90 + 68) = 180 - 158 = 22°$

[152]　正答 3

図①のように正五角形の 1 つの頂点から対角線を引いていくつの三角形に分割できるか調べると、3 つの三角形ができることがわかる。

したがって、正五角形の内角の和は、$180° \times 3 = 540°$ である。

正五角形の 1 つの角は、$\dfrac{540}{5} = 108°$

図②のように記号をつける。（F は CD を延長して、平行線と交わった点）
　　$\angle GCD = 180 - (108 + 20) = 52°$
平行線の錯角だから $\angle DFE = \angle GCD = 52°$
　　$\angle DFE + \angle B = 108°$
　　$52 + \angle B = 108°$　　$\therefore \angle B = 56°$

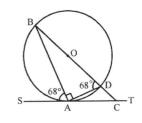

[153]　正答 3

対頂角は等しいから、図のように、$\angle A$、$\angle D$ を対頂角にそれぞれ移動させる。このとき、$\angle A \sim \angle E$ は五角形の外角になっている。多角形の外角の和はつねに 360° であるから、
　　$\angle A + \angle B + \angle C + \angle D + \angle E = 360°$

[154]　正答1

折る前の B、D 点の位置にある点をそれぞれ B′、D′ とする。

折った部分の角度は等しいから、

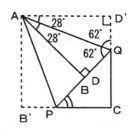

∠D′AQ = 28°

∠QD′A = ∠QDA = ∠R

∠AQD = ∠AQD′ = 180 − (28 + 90) = 62°

∠PCQ = ∠R だから

∠QPC + ∠PCQ = 62 × 2

∠QPC + 90 = 124　　∴ ∠QPC = 34°

[155]　正答3

$$\angle CBD = \frac{1}{2}\angle ABC = \frac{1}{2} \times 48 = 24°$$

$$\angle BEC = 180 - (\angle CBD + \angle ACB + \angle ACE) = 180 - (24 + 72 + 60) = 24°$$

[156]　正答2

∠BAC = x とおく。

DA = DE より、∠DEA = x

　　　∠EDB = 2x

ED = EB より、∠EBD = 2x

△ABC ∽ △BCE だから、∠CBE = x

よって、∠ABC = 3x

△ABC は二等辺三角形だから、∠BCA = ∠ABC = 3x

三角形の内角の和は 180° だから、△ABC において、7x = 180　　∴ x ≒ 25.7°

[157]　正答2

(P + Q) = (R + S) だから、中央の白い部分の面積を T とすると、(P + Q + T) = (R + S + T) が成り立ち、扇形と半円の面積は等しいことが分かる。扇形の半径と半円の直径は等しいから、扇形の半径は半円の半径の2倍となる。扇形の中心角が180°のとき(半円のとき)面積は4倍となる。

面積が等しくなるためには扇形の中心角が半円の $\frac{1}{4}$ であればよい。

したがって $180 \times \frac{1}{4} = 45$ となり、扇形の中心角は45°となる。

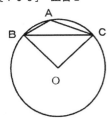

[158] 正答2

円の中心を O とし、O と B、C をそれぞれ線分で結ぶ。弧 BC は円周の4分の1だから、∠BOC = 90°

∴(鈍角の)∠BOC = 360 − 90 = 270°

∠BAC は、(大きい方の)弧 BC に対する円周角だから、∠BAC は(鈍角の)∠BOC の半分である。

したがって、∠BAC = (鈍角の)∠BOC ÷ 2
= 270 ÷ 2 = 135°

[159] 正答3

等脚台形だから、∠BCD = ∠B = 80°

AD // BC より、∠DAB = 180 − ∠B = 180 − 80 = 100°

∴∠EAB = $\frac{1}{2}$ × ∠DAB = $\frac{1}{2}$ × 100 = 50°

同じ弧に対する円周角だから、∠ECB = ∠EAB = 50°

∴∠ECF = 180 − (80 + 50) = 50°

Ⅱ−5　円の性質

◇練習の正答

① 正答　6 cm

円外の1点から引いた接線の長さは等しいから、

AD = AF = 4(cm)

BD = BE = 4(cm)

∴ CE = BC − BE = 6 − 4 = 2(cm)

CF = CE = 2(cm)

∴ AC = 4 + 2 = 6(cm)

② 正答　∠x = 35°、∠y = 110°

OB = OC だから、△OBC は二等辺三角形である。

∴∠OCB = ∠OBC = 35°

∴∠y = 180 − 2 × 35 = 110°

OA = OB だから、△OAB は二等辺三角形である。

∴∠OAB = ∠OBA = 20°

OA = OC だから、△OAC も二等辺三角形で、∠CAO = ∠x

∴ 2x + 2 × 20 + 2 × 35 = 180

2x = 180 − 110　　2x = 70　　∴ x = 35°

③　正答　110°

I から、AB、BC、CA に垂線を下ろし、交わる点をそれぞれ、D、E、F とする。

I は内心だから、ID = IE = IF である。

△IAD と△IAF において、ID = IF、IA は共通、円外の 1 点から引いた接線は等しいから、AD = AF

∴△IAD ≡ △IAF

同様に、△IBD ≡ △IBE、△ICE ≡ △ICF

∴∠IAD = ∠IAF = $\dfrac{40}{2}$ = 20°

∴∠DIA = ∠FIA = 180 − (20 + 90) = 70°

（大きい方の）∠DIF = 360 − 2 × 70 = 220°

∠BIE = x°、∠CIE = y° とおくと、

∠BID = x°、∠CIF = y°

（大きい方の）∠DIF = 2x + 2y = 220°

∠BIC = x + y = $\dfrac{220}{2}$ = 110°

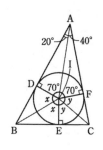

④　正答　12 cm

点 O から AB に平行に線を引き、O′B と交わる点を C とすると、AB = OC

△OO′C は直角三角形で、O′C = 5(cm) だから、

$OC^2 + 5^2 = 13^2$

∴ $OC^2 = 13^2 − 5^2$

$OC = \sqrt{13^2 − 5^2} = \sqrt{144} = 12$(cm)

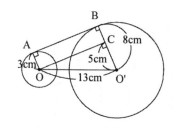

⑤　正答　AE = 2、CP = $7\sqrt{2}$

方べきの定理より、

AE・EC = BE・ED

AE・6 = 3・4

AE = $\dfrac{12}{6}$ = 2

$CP^2 = PB・PD$

$CP^2 = 7・14 = 98$

$CP = \sqrt{98} = 7\sqrt{2}$

[160]　正答2

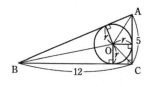

三平方の定理より、

AB = $\sqrt{5^2 + 12^2} = \sqrt{25 + 144} = \sqrt{169} = 13$

内接円の中心を O、半径を r とすると、

△OAB + △OBC + △OCA = △ABC

$\dfrac{1}{2} × 13 × r + \dfrac{1}{2} × 12 × r + \dfrac{1}{2} × 5 × r = \dfrac{1}{2} × 12 × 5$

$\dfrac{r}{2}(13 + 12 + 5) = 30$

これを解いて、$r = 2$　よって、直径は 4

[161] 正答2

三角形の各頂点に図のように記号をつけ、内接円の中心をOとし、半径をr cmとする。

三平方の定理より、

$$AC = \sqrt{18^2 + 24^2} = \sqrt{900} = 30\,(cm)$$

$\triangle OAB + \triangle OBC + \triangle OCA = \triangle ABC$ という関係が成り立つから、次の方程式ができる。

$$\frac{1}{2} \times 18 \times r + \frac{1}{2} \times 24 \times r + \frac{1}{2} \times 30 \times r = \frac{1}{2} \times 18 \times 24$$

$$\frac{r}{2}(18 + 24 + 30) = 216$$

これを解いて、$r = 6\,(cm)$

[162] 正答3

図のように三角形の各頂点をA、B、C、半円の中心をO、半円とAB、ACとの接点をそれぞれD、Eとする。

半円の半径をr cmとおくと、$\triangle ABC \backsim \triangle EOC$ だから、

$$AB : AC = EO : EC$$
$$10 : 14 = r : 14 - r$$
$$14r = 10(14 - r)$$

これを解いて、$r = \dfrac{35}{6}\,(cm)$　　　$\therefore\ 2r = \dfrac{35}{3} \fallingdotseq 11.7\,(cm)$

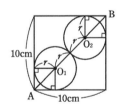

[163] 正答1

図のように円の中心をO_1、O_2、正方形の向かい合った頂点をA、Bとし、円の半径をr cmとする。

$AO_1 = BO_2 = \sqrt{2}\,r\,(cm)$、$AB = 10\sqrt{2}\,(cm)$ で、

$AO_1 + O_1O_2 + BO_2 = AB$ だから、

$$\sqrt{2}\,r + r + r + \sqrt{2}\,r = AB$$
$$2\sqrt{2}\,r + 2r = 10\sqrt{2}$$

これを解いて、$r = 5(2 - \sqrt{2})\,(cm)$

[164] 正答5

大円の中心を O、半径を R とし、小円の中心をそれぞれ、A、B、C とし、小円 A と小円 B との接点を D とする。また、小円 A と大円との接点を E とする。

$\triangle$ABC は正三角形となる。よって、$\angle$OAD $= 30°$ となり、$\angle$ODA $= 90°$ だから、OD : AD : AO $= 1 : \sqrt{3} : 2$

AD $= r$ だから、 AO : $r = 2 : \sqrt{3}$

$$\therefore \text{AO} = \frac{2}{\sqrt{3}}r = \frac{2\sqrt{3}}{3}r$$

AE $= r$ だから、

$$R = \text{OE} = \text{AO} + \text{AE} = \frac{2\sqrt{3}}{3}r + r = \left(\frac{2\sqrt{3}}{3} + 1\right)r$$

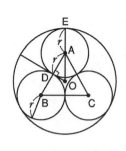

[165] 正答3

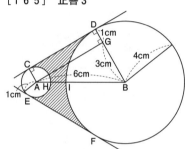

A から、BD に垂線 AG をおろし、AB とそれぞれの円との交点を H、I とする。

DG $= 1$ cm だから、BG $= 3$ cm

直角三角形 ABG において、

BG : AB $= 1 : 2$ だから、AG $= 3\sqrt{3}$ (cm)、$\angle$ABG $= 60°$、

$\angle$GAB $= 30°$

よって、求める面積を S とすると、

$S = 2 \times$ (台形 ABDC $-$ おうぎ形 ACH $-$ おうぎ形 BDI)

$$= 2 \times \left\{ \frac{1}{2} \times (1+4) \times 3\sqrt{3} - \pi \times 1^2 \times \frac{120}{360} - \pi \times 4^2 \times \frac{60}{360} \right\}$$

$$= 15\sqrt{3} - 6\pi \, (\text{cm}^2)$$

[166] 正答5

図のように x、y をとると、三平方の定理より

$x = \sqrt{3^2 - 1^2} = 2\sqrt{2}$

$y = \sqrt{6^2 - 2^2} = 4\sqrt{2}$

$l = 1 + 2\sqrt{2} + 4\sqrt{2} + 4 = 5 + 6\sqrt{2}$

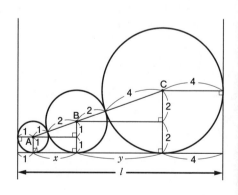

[167] 正答3

方べきの定理より、$\overline{\text{AP}} = x$ cm とおくと、

$x^2 = \overline{\text{AB}} \cdot \overline{\text{AC}}$

$x^2 = 4 \times 8$

$x^2 = 32$

$\therefore x = \sqrt{32} = 4\sqrt{2}$ (cm)

◇練習の正答

① 正答　$x = \dfrac{40}{3}$(cm)、$y = 12$(cm)

$x : 20 = 12 : 18$

$18x = 20 \times 12$

$\therefore x = \dfrac{40}{3}$(cm)

$y : 18 = 12 : 18$

$18y = 18 \times 12$

$\therefore y = 12$(cm)

② 正答　$x = \dfrac{10}{3}$(cm)、$y = \dfrac{36}{5}$(cm)

$x : 10 = 4 : 12$

$12x = 4 \times 10$

$\therefore x = \dfrac{10}{3}$(cm)

$y : 12 = 6 : 10$

$10y = 6 \times 12$

$\therefore y = \dfrac{36}{5}$(cm)

③ 正答　$\dfrac{135}{2}$(cm²)

△ADE∽△ABC で、AD：AB＝2：3 より、

△ADE と△ABC の相似比　2：3

△ADE と△ABC の面積比　$2^2 : 3^2 = 4 : 9$

△ABC の面積を S とおくと、

$30 : S = 4 : 9$

$4S = 30 \times 9$

$S = \dfrac{30 \times 9}{4} = \dfrac{135}{2}$(cm²)

④ 正答　$\dfrac{8}{27}$

円すいの容器と、水が入っている部分とは、相似な円すいで、その相似比（長さの比）は、30：20＝3：2 である。

容器の容積を V_A、水の体積を V_B とおくと、

$V_A : V_B = 3^3 : 2^3 = 27 : 8$

$27V_B = 8V_A$　　$\therefore V_B = \dfrac{8}{27} V_A$

[１６８]　正答2

　BF＝l、BD＝m、DF＝nとすると、中点連結定理より、
CD＝DE＝l、EF＝FA＝m、AB＝BC＝nとなる。
各選択肢をl、m、nで表すと次のとおり。

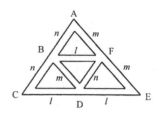

1　A－B－F－E－D＝$n＋l＋m＋l＝2l＋m＋n$
2　B－A－F－E－D＝$n＋m＋m＋l＝l＋2m＋n$
3　C－B－F－E－D＝$n＋l＋m＋l＝2l＋m＋n$
4　E－D－B－F－D＝$l＋m＋l＋n＝2l＋m＋n$
5　E－D－C－B－D＝$l＋l＋n＋m＝2l＋m＋n$

[１６９]　正答4

　△ABC∽△AEQだから、AB：AE＝BC：EQ
　　$10：7＝10：EQ$　　∴EQ＝7(cm)
　△BAD∽△BEPだから、BA：BE＝AD：EP
　　$10：3＝6：EP$　　∴EP＝1.8(cm)
　　PQ＝EQ－EP＝7－1.8＝5.2(cm)

[１７０]　正答3

　A4判の縦の長さをa、横の長さをbとおくと

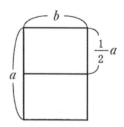

　$$a：b＝b：\dfrac{a}{2}$$
　$$\dfrac{a^2}{2}＝b^2$$
　$$a^2＝2b^2 \quad ∴a＝\sqrt{2}\,b$$
　$$a：b＝\sqrt{2}\,b：b$$
　$$＝\sqrt{2}：1$$

[１７１]　正答4

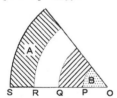

　OP＝PQ＝QR＝RS＝1とし、半径OP、OR、OSのおうぎ形をそ
れぞれおうぎ形OP、おうぎ形OR、おうぎ形OSとする。この3つ
のおうぎ形は相似形で、相似な図形の面積比は相似比（長さの比）の2
乗になるから、下のような関係が成り立つ。

	おうぎ形OP	:	おうぎ形OR	:	おうぎ形OS
相似比＝	1	:	3	:	4
面積比＝	1^2	:	3^2	:	4^2
＝	1	:	9	:	16

　この面積比を利用して、B(おうぎ形OP)の面積を1とおくと、Aはつぎのようになる。
　A＝おうぎ形OS－おうぎ形OR＝16－9＝7

[172]　正答4
3種類の鉄球はいずれも「球」であるから、相似形である。相似な立体の体積比は、相似比（長さの比）の3乗である。

	直径100 cm	:	直径50 cm	:	直径10 cm
相似比＝	100	:	50	:	10
	10	:	5	:	1
体積比＝	10^3	:	5^3	:	1^3
＝	1000	:	125	:	1

1125

[173]　正答5

	A	:	B			A	:	B
面積比＝	180	:	405	相似比＝		$\sqrt{4}$	:	$\sqrt{9}$
＝	20	:	45	＝		2	:	3
＝	4	:	9					
体積比＝	2^3	:	3^3					
＝	8	:	27					

円柱Bの体積をV_Bとすると、
$$240 : V_B = 8 : 27 \quad \therefore V_B = 810 \,(\text{cm}^3)$$

[174]　正答2
3つの長方形を小さい方から順にA、B、Cとすると、この3つは互いに相似形である。
　相似比（長さの比）　A：B：C＝1：2：3
相似な図形の面積比は、相似比の2乗であるから、面積比は次のようになる。
　面積比　A：B：C＝$1^2 : 2^2 : 3^2 = 1 : 4 : 9$
したがって、求める面積比は次のとおり。
　バラ：ベゴニア：パンジー＝1：(4−1)：(9−4)＝1：3：5

[175]　正答4

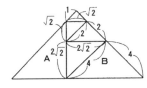

一番小さい直角二等辺三角形の直角をはさむ辺の長さを1とおくと、図のように辺の長さがわかる。
Aの直角をはさむ辺の長さは
$$\sqrt{2} + 2\sqrt{2} = 3\sqrt{2}$$
Bの直角をはさむ辺の長さは4、AとBは相似形であるから、面積比は、A：B＝$(3\sqrt{2})^2 : 4^2 = 9 : 8$

[176]　正答 1

展開図で考える。

ABCD $= 3a$

AGH $= \sqrt{2} \times 2a = 2\sqrt{2}\,a$

CEF $= \sqrt{a^2 + (3a)^2} = \sqrt{10}\,a$

$2\sqrt{2} \fallingdotseq 2.8$、$\sqrt{10} > 3$ だから、

AGH ＜ ABCD ＜ CEF

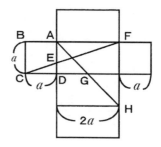

[177]　正答 2

図①のように各頂点に記号をつけて、展開図で考えるとよい。
リボンが掛かっている面を順につないでいくと、図②のよう
になる。リボンの長さが最短になるのは、実線のような場合
である。これは、H から H まで引いた点線を平行移動したも
ので、長さは点線に等しい。点線の長さは、直角三角形の辺
の比より、$60\sqrt{2} \fallingdotseq 85$ cm となる。

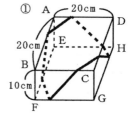

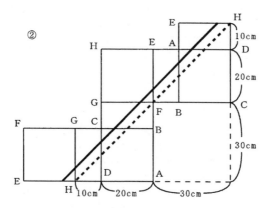

[178] 正答2

立体の表面を通る2点間の最短距離の問題は、展開図で考える。展開図上で2点を直線で結んだ長さである。右図のようにA、B、CとPとをそれぞれ直線で結んだ長さを計算するとよい。

小立方体の一辺の長さを1とおき、三平方の定理を用いて計算すると次のようになる。aについては、①、②の2つが考えられるが、①の方が短く、cについてはア、イの2つが考えられるが、アの方が短い。

$$a① = \sqrt{3^2 + 4^2} = \sqrt{25} = 5$$
$$a② = \sqrt{2^2 + 5^2} = \sqrt{29}$$
$$b = \sqrt{3^2 + 4^2} = \sqrt{25} = 5$$
$$c\,ア = \sqrt{4^2 + 5^2} = \sqrt{41}$$
$$c\,イ = \sqrt{3^2 + 6^2} = \sqrt{45}$$

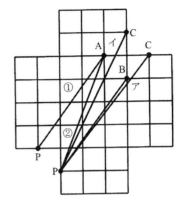

[179] 正答2

展開図で考える。図①のように側面のおうぎ形の中心角をaとすると、Bはaの二等分線上にある。
側面のおうぎ形の弧の長さと、底面の円周が等しいから、

$$2\pi \times 10 \times \frac{a}{360} = 2\pi \times 5$$

これを解いて、$a = 180°$

したがって、側面のおうぎ形は、正しくは図②のように半円となる。

半円の中心をOとすると、△OABは直角三角形で、OA = 3 cm、OB = 4 cmだから、AB = 5 cm

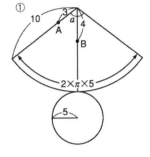

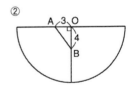

[180] 正答3

右のような展開図で、AG を直線で結ぶものが最短になる。

三平方の定理より、

$①=\sqrt{5^2+10^2}=\sqrt{125}$

$②=\sqrt{9^2+6^2}=\sqrt{117}$

$③=\sqrt{11^2+4^2}=\sqrt{137}$

$\therefore ②<①<③$

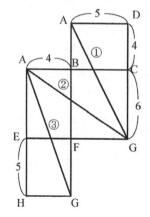

Ⅲ 資料解釈

Ⅲ－1 指数

◇練習の正答

① × 実数値(売上高)が示されていないので、A社とB社では比較できない。

② × 上記と同じ理由で比較不可。

③ ○ 同じ会社なので、指数が同じならば売上高も同じ。

④ ○ 増加率の大小比較は、倍率で見た方が簡単。A社は 100 → 300 で3倍、B社は 100 → 200 で2倍。

[181] 正答5

1　誤り。1月の各営業所売り上げが異なるので、指数合計はできない。

2、3、4　誤り。異なる営業所間では売上額は比較できない。

5　正しい。Aの伸び率 $\dfrac{180-160}{160} \times 100 <$ Bの伸び率 $\dfrac{140-120}{120} \times 100$

（∵分子がいずれも 20 に注目。分子が同じ時は分母が小さい方が伸び率は大）

[182] 正答3

指数表示なので、異なる国間での生産額比較はできないことに注意。なお、図にはないが、2017 年は全ての国が 100 になっている。

1、2　誤り。この表では実数値が示されていないので、比較はできない。

3　正しい。伸び率だから計算は可能。例えば、D国は 85 → 100 なので、伸び率は

$$\dfrac{100-85}{85} \times 100 \fallingdotseq 18\%$$

ただし、この問題は 2017 年がいずれの国も 100 なので、2012 年 Q1 の指数が最小の国が伸び率が最大といえる。よって計算は不要。

4　誤り。実数値が示されていないので、格差が小さくなったか否かは不明。

5　誤り。A国は、2012 年の Q1 より低下している。

[183] 正答4

実数(平均点数)が示されていないので、異なる組(クラス)では平均点の比較はできない。よって、選択肢1、2、5は、比較不可で誤り。

4　正しい。上昇しているか否かは指数で確認できる。

3　誤り。問われているのは上昇率(増加率)である。上昇率(増加率)の大小比較は倍率でおこなう。

例えば、D組 $\dfrac{142}{127}$、C組 $\dfrac{150}{139}$ を比べるのに「分子－分母」の差をとってみると、それぞれ 15、11 となる。

$$(\text{D組、C組}) = \left(\dfrac{142}{127}, \dfrac{150}{139} \right) = \left(1\dfrac{15}{127}, 1\dfrac{11}{139} \right) \rightarrow \left(\dfrac{15}{127}, \dfrac{11}{139} \right)$$

この2数の大小比較は、分母がほぼ同じと考えられるので、分子の大小で判断できる。よって、D組の上昇率よりもC組の上昇率の方が低い。(4回目の値がどれも近いので、分子－分母の差が一番小さいものが上昇率も小さいと予想できる)。

［１８４］　正答2

1　誤り。異なる国の額は比較できない。
2　正しい。

A国の最低と最高の格差は、$\dfrac{256.4}{68.9} ≒ \dfrac{260}{70} = 4$ 倍弱

B国の最低と最高の格差は、$\dfrac{156.5}{60.9} = 2$ 倍強

C国の最低と最高の格差は、$\dfrac{187.7}{61.0} ≒ 3.0$ 倍

これより、Bの格差は小さい。

3　誤り。B国の方が早い。A国は 50 ～ 54 歳、B国は 40 ～ 44 歳、C国は 45 ～ 49 歳。
4　誤り。A国の方が低下度合い（減少率）は大。A国 256.4 → 169.5 をみる。
5　誤り。異なる国の額は比較できない。

［１８５］　正答5

「～に占める～の割合」の大小比較は、実数がなくても指数でできる。

1、2　誤り。異なる業種間では、就業者数の比較はできない。
3　誤り。2005 年の割合を $\dfrac{100}{100} = 1$ とおくと、2015 年の割合は $\dfrac{92.7}{96.8}$ で 2005 年の 1 より小さい（縮小）。
4　誤り。2010 年の割合を $\dfrac{111.5}{103.5}$ とおくと、2017 年の割合は $\dfrac{136.0}{115.1}$ 分母がいずれも 100 強なので「分子－分母」の差で大まかな比較ができる。差は、8 → 約 21 と大きくなっているので 2017 年の方が大きい。よって、拡大。
5　正しい。$\dfrac{100}{100} = 1$、$\dfrac{105.9}{101.7}$、$\dfrac{113.4}{106.8}$、$\dfrac{124.1}{111.7}$
　分母がほぼ同じなので、「分子－分母」の差をみる。約 4 → 約 7 → 約 13 と大きくなっている。

Ⅲ－2　増加率

◇練習の正答

① ×　2013 年と 2014 年は増加率がプラスなので増え続けている。2015 年は 2014 年と同数。減ったのは 2016 年だけである。
② ×　2014 年は、2013 年よりさらに 10％も増えているので、2014 年の方が多い。なお 4 年間で最大の年は 2014 年と 2015 年。
③ ×　大小比較は、2014 年を指数 100 とおいて計算してみる。2015 年は前年と同じく 100、2016 年は 10％減だから 90、2017 年は 10％増だから 90＋9 ＝ 99、よって 2014 年の方が多い。
④ ○　2011 年を 100 とおき計算をする。2012 年は 10％だから 110、2013 年は 20％増だから 110＋22 ＝ 132、2014 年は 10％増だから 132 ＋約 13 ≒ 145、100 →約 145 だから約 1.45 倍。

［１８６］　正答4

増加率のポイント「プラスにあれば増加中（マイナスにあれば減少中）」。

ア　正しい。2011 年以降すべての年で増加率はプラスだから、増え続けている。
イ　誤り。2015 年、2016 年ともに、増加率はプラスだから増え続けている。
ウ　正しい。プラスになったのは 2015 年だけである。

[187]　正答3
　この表は前の年に比べた上昇率（増加率）だから、増加率がプラスならば増えている。また、異なる費目の場合は、物価の大小比較はできない。
1　誤り。「被服・はき物」は2011年、2012年はプラスだから増え続けている。
2　誤り。異なる費目で、2010年と2015年の物価がどれが近いかは比較はできない。2010年を100とおき2015年を指数で表したとき、その指数の差が小さいからといって物価が近いとは限らない。
3　正しい。2010年を100とおくと、2015年は$100 + 0.8 + 1.2 - 0.2 - 2.0 - 1.8 = 98$で、2010年より安い（なお上昇率の計算は、値が小さいときには、上記の計算方法で近似値を求める）。
4　誤り。2012年を100とおくと、2015年は$100 + 0.3 - 0.6 + 0.1 = 99.8$で2012年より低くなっている。
5　誤り。異なる費目の場合、物価は比較できない。

[188]　正答3
　増減率のグラフの見方では、＋（プラス）にあれば前年より増えており、－（マイナス）にあれば前年より減っていることに注意する。
ア　正しい。増減率グラフの2月をみると0%で、これは前年と同じ支出額であることを示している。
イ　誤り。＋（プラス）の月をみると、3月、7月、9月の3ヶ月である。（この段階で、選択肢3が正解とわかる）
ウ　正しい。2017年の5月と6月は同じ約32万円である。ところが、それぞれ前年と比べてみると5月は、わずか2%減で約32万円。ところが6月は5%も減って約32万円。このことにより、前年は6月の方が支出は多かったことがわかる。

[189]　正答3
1　誤り。それぞれ前年の額が異なるので、増減率が同じでも額は異なる。
2　誤り。2007年を100とおくと2010年は
　　$100 - 0.1 - 0.7 + 0.2 = 99.4$で0.6%減である（解説[187]の3を参照）。
3　正しい。2007年の実収入と可処分所得をそれぞれ100とおくと、2008年は100.6と99.9である。
　　割合は2007年は$\dfrac{100}{100}$、2008年は$\dfrac{99.9}{100.6}$と低くなっている。
4　誤り。2008年を100とおくと2011年は
　　$100 + 0.1 + 0.8 - 1.4 = 99.5$で減。
5　誤り。元の額がわからないので不明。

[１９０]　正答 5
1　誤り。大小をみるには 2014 年度を 100 とおき、指数に切り変える。翌年は 13% 増なので 113、さらに翌年は 7% 減なので 106（正確には 113×0.93 だが、増減率の値が小さいときは、単純に 113－7＝106 の足し算・引き算で概数を求める）。よって、最大は 2015 年度だが、最小は 2014 年度である。
2　誤り。県債は－10% なので前年度を下回っている。県税と国庫支出金はそれぞれ増加率はプラスなので、前年度を上回っている。
3　誤り。「〜に対する〜の比率（割合）」をみるには、それぞれ 2014 年度を 100 とおいた指数に切り替える。国庫支出金は 100、103、97、同じように県債は 100、90、95 である。

　　よって、国庫支出金の額に対する県債の額の比率は、$\frac{100}{100}$、$\frac{90}{103}$、$\frac{95}{97}$ と表すことができる。よって、2014 → 2015 年度は減少、2015 → 2016 年度は上昇していることが分かる。
4　誤り。2015 年度は増加率はマイナスなので、額は減少している。ちなみに 2016 年度は増加している。
5　正しい。県税を指数で表すと、100、113、106。国庫支出金は 100、103、97 である（グラフの数値読みとりは、神経質にならなくてもよく、おおよそでよい）。

　　よって、県税の額に対する国庫支出金の額の比率は、$\frac{100}{100}$、$\frac{103}{113}$、$\frac{97}{106}$ なので、2016 年度は 2014 年度を下回っている。

Ⅲ－3　割合

◇練習の正答
①　×　高校の人数（実数）が示されていないので、進学希望者数は比較できない。
②　○　B 高校内での比較なので、比較できる。
③　○　問われているのは割合なので比較できる。

[１９１]　正答 5
　問われているのが「割合」なのか「額」なのかの区別をしておく。
1、2、3　誤り。額が不明なので、異なる年度では比較できない。
4　誤り。飲料については、5 割以上ではなく 3 割強の増加である。
5　正しい。いずれも 2 倍以上に増加。

[１９２]　正答 5
　円グラフをイメージすればわかりやすい。

その上でキーワード（「数」か「割合」）に着目してみる。

1　誤り。キーワードは表現上は書かれていないが、内容的には「約40%（の人数）が賛成…と読むべき。よって、キーワードは数であり、とすれば2017年に何人が賛成に意見を変えたかどうかは不明。
2　誤り。キーワードは数。2013年と2014年は異なる年なので、賛成者数は比較不可。
3　誤り。キーワードは数。賛成割合は増えているが、賛成者数は不明。異なる年の数は比較不可。
4　誤り。キーワードは数。異なる年の数は比較不可。
5　正しい。キーワードは割合。いわゆる無回答者の割合である。その割合は2014年以降、50%→34%→28%→25%と減少している。

［193］　正答5
1　誤り。この図は全人口に対する割合が示されているだけで、実数（実際の人口）は示されていない。したがって、異なる年では高齢人口は比較できない。
2　誤り。「その他の人口」の割合は、
　　昭和50年　　100－(67.5＋7.5)＝25%
　　昭和55年　　100－(67＋9)＝24%
　　よって、その差は25%－24%＝1%
　　ところが、グラフの位置が比較的離れている昭和35年と昭和40年をみると、
　　昭和35年　　100－(64＋6)＝30%
　　昭和40年　　100－(67.5＋6.5)＝26%
　　よって、その差は30%－26%＝4%で、こちらの方が差は大きい。
3、4　誤り。実数（人口）が示されていないので、異なる年では人口は比較できない。
5　正しい。高齢人口の割合は20%だから、5人に1人である。

［194］　正答4
　　仕入額は不明だが、全体100%を仮に100万円とおくと、大小比較ができる。
1　誤り。1番目はC社の40万円、2番目はD社、E社の15万円である。
2　誤り。$\dfrac{\text{C社の仕入数量}}{\text{全仕入数量}} = \dfrac{75}{20+25+75+6+3+3} = \dfrac{75}{132} > 50\%$
3　誤り。$\dfrac{\text{C社の仕入額}}{\text{B社の仕入額}} = \dfrac{40\text{万円}}{10\text{万円}} = 4$ 倍
4　正しい。D社の単価 $= \dfrac{15\text{万円}}{6\text{千ダース}}$、E社の単価 $= \dfrac{15\text{万円}}{3\text{千ダース}} \rightarrow \left(\text{D社} = \dfrac{15}{6}\right) < \left(\text{E社} = \dfrac{15}{3}\right)$
5　誤り。A社の単価 $= \dfrac{10\text{万円}}{20\text{千ダース}}$、F社の単価 $= \dfrac{10\text{万円}}{3\text{千ダース}} \rightarrow \left(\text{A社} = \dfrac{10}{20}\right) \neq \left(\text{F社} = \dfrac{10}{3}\right)$

[195]　正答4

1　誤り。D国は男女較差が約1であるから、女性の失業率は男性の失業率とほぼ同じ。
2　誤り。A国は男女較差が約0.4であるから、女性の失業率は男性に較べてかなり低い。
3　誤り。むしろ、失業者の男女較差の国による違いの方が大。A国0.4〜N国2.5。一方労働力比率は、A国38%（0.38）〜D国90%（0.9）。図では横の方に各国が点在している。
4　正しい。失業率の差がほとんどない国は、D、C、E、F、Gなどである。これらの国は比較的労働力比率が高い。
5　誤り。男性の労働力比率が不明なので、労働力比率の男女較差が等しいか否かは分からない。

Ⅲ－4　実数

◇練習の正答

①　暗算・概算する上で鍵となるのが「10%」、「25%」、「33%」である。
　⑴　10%は、「×0.1」だから、一桁小さくなる（小数点の位置が一つずれる）と考える。
　　　よって、2540の10%は254（約250でも可）
　⑵　20%は、10%の2倍と考える。約250×2＝約500
　⑶　5%は、10%の半分、よって約125
　⑷　1%は、10%をさらに1桁小さくする。約25
　⑸　約33%は、$\frac{1}{3}$で考える。約840（約800でも可）。
　⑹　25%は、$\frac{1}{4}$で考える。約630（約600でも可）。

②　どちらが「元になる数」か、または「比べる数」かを考える。

$$割合＝\frac{比べる数}{元になる数}$$

「〜に対する」「〜に占める」とあれば、〜の部分が「元」（分母）である。

　⑴　$\frac{B}{A}$　　⑵　$\frac{B}{A}$　　⑶　$\frac{B}{A}$

[196]　正答5

1　誤り。64,530（千人）の0.1%は、小数点を左に3つ移動させる。64（千人）で6万4千人である。
2　誤り。大小比較をする際は、まず実数を概算しやすいように、下○桁かをカットした方がよい。今回は、下3桁カットする。次に実数の最大の国と最小の国を確認しておく。さて、選択肢は「1位アメリカ、2位フランス」というが、実数が最大国の中国がなぜ上位にないのか、もしくは実数が最小国のフランスがなぜ上位にいるのかに疑問をもつべきである。そこで両国について概算してみる。
　　　フランス：22×45.9%≒22×50%＝11，中国：602×12.7%≒600×10%＝60
　よって、「フランスが2位」ではない。
3　誤り。「約分方式」で計算してみよう。

「中国は、日本の約4分の1」とは、$\frac{中国}{日本}≒\frac{1}{4}$である。吟味すると

$$\frac{中国}{日本}＝\frac{602×5.7\%}{64×22.4\%}≒\frac{602}{64}×\frac{5.7}{22.4}≒\frac{9}{1}×\frac{1}{4}≠\frac{1}{4}$$

4　誤り。これも「約分方式」でしてみよう。「アメリカと中国は、ほぼ等しい」とは、$\dfrac{アメリカ}{中国} \fallingdotseq 1$ である。吟味すると

$$\dfrac{アメリカ}{中国} = \dfrac{123 \times 6.1\%}{602 \times 2.8\%} \fallingdotseq \dfrac{1}{5} \times \dfrac{2}{1} = \dfrac{2}{5} \neq 1$$

5　正しい。これも「約分方式」でしてみよう。「日本とフランスは、ほぼ等しい」とは、$\dfrac{日本}{フランス} \fallingdotseq 1$ である。吟味すると

$$\dfrac{日本}{フランス} = \dfrac{64 \times 6.1\%}{22 \times 18\%} = \dfrac{3}{1} \times \dfrac{1}{3} \fallingdotseq 1$$

[１９７]　正答1

1　正しい。Aの老年人口 $664 \times 3\%$、Eの老年人口 $62 \times 16\%$

$\dfrac{A}{E} = \dfrac{664 \times 3\%}{62 \times 16\%}$ が約2倍かどうかをみる。

$$\dfrac{A}{E} = \dfrac{664 \times 3\%}{62 \times 16\%} \fallingdotseq \dfrac{10}{1} \times \dfrac{1}{5} = 2$$

参考までに正確に計算すれば、$\dfrac{664 \times 3}{62 \times 16} = \dfrac{1992}{992} \fallingdotseq 2.0$ 倍

2　誤り。Aの老年人口 $664 \times 3\%$、Bの老年人口 $229 \times 12\%$

$$\dfrac{A}{B} = \dfrac{664 \times 3\%}{229 \times 12\%} \fallingdotseq \dfrac{3}{1} \times \dfrac{1}{4} \neq 1$$

3　誤り。Dの生産年齢人口　$15 \times 64\% \fallingdotseq 9.6 \rightarrow 960$万人

4　誤り。Bの幼年人口 $229 \times 22\%$、Cの幼年人口 $54 \times 22\%$

$$\dfrac{B}{C} = \dfrac{229 \times 22\%}{54 \times 22\%} = 約4倍。よって「約5倍」は誤り。$$

5　誤り。Eの老年人口 $62 \times 16\%$、Cの幼年人口 $54 \times 22\%$

$$\dfrac{E}{C} = \dfrac{62 \times 16\%}{54 \times 22\%} \fallingdotseq \dfrac{62}{54} \times \dfrac{16}{22} \fallingdotseq \dfrac{1.1}{1} \times \dfrac{1}{1.3} \neq 1 \quad よって「ほぼ等しい」は誤り。$$

［１９８］　正答4

1　誤り。2015年が示されていないので2016年の対前年増加率は不明。よって、「両年とも（対前年増加率は）…高い」は誤り。

2　誤り。850万人×（3％＋4％）と730万人×7％では、前者の方が多い。

3　誤り。20歳以上の割合は、全体－（0～19歳層）。いずれの年も92％である。2016年の1580万人×92％と、2017年の1640万人×92％では、後者（2017年）の方が多い。

4　正しい。2016年から2017年をみると、女性は730万人→770万人に増えているので、割合が同じ（あるいは割合が増）の年齢層では2016年より増加といえる（例えば40～49歳層は、730万人×11％＜770万人×11％である）。よって、割合が減少している20～29歳層だけを吟味すればよい。この場合、差異が微妙なので、概算ではなく正確に計算した方がよい。

　　　730万人×36％＝262.8万人
　　　770万人×34％＝261.8万人

よって、減少しているので正解。

5　誤り。この図からは平均年齢は算出できない。0～39歳が53％、一方、40歳以上が47％より旅行者全体の平均年齢は40歳前後とは言えるが、「40歳を超えているかどうか」は不明。仮に0～9歳層を5歳、10～19歳層を15歳などと設定しても、60歳以上を何歳に設定するかで平均年齢が異なる。よって、この図からは、正確な平均年齢は分からない。

［１９９］　正答1

1　正しい。総数の25％＝$\frac{1}{4}$を、まずは暗算でしてみる。

2011年の総数の$\frac{1}{4}$は、1264÷4≒300　幼稚園（247）は、「25％」を下回っている。

2012年の総数の$\frac{1}{4}$は、1209÷4≒300　幼稚園（298）は、「25％」を下回っている。

2013年の総数の$\frac{1}{4}$は、1262÷4≒300強

幼稚園は316なので概算では分からない。そこで正確な計算に切り換える。
　　　1262÷4＝315.5
よって「25％を超えている」。2014年と2015年は正確な計算が必要。

2　誤り。597→637の増加率が10％超かどうかを吟味すればよい。暗算で597の10％増しをしてみる。
　　　597＋約60≒660
よって、637は10％以下である。

3　誤り。まずは、5年間の中学生の合計を概算で出す。
　　　258＋239＋262＋304＋301≒260＋240＋260＋300＋300＝1360
よって、「いずれの年の総数よりも多い」は誤り。

4　誤り。上記の中学生の合計を利用する。平均は、1360÷5年≒270
よって、平均270を上回っている年は、「3年」ではなく2年である。
なお、正確に中学生の合計を出す場合にも、上記（3の解説）の式を利用し、誤差で調整する。
例えば258→260にしたので誤差が＋2、239→240は＋1、以下－2、－4、－1で、計－4になり、正確な合計は、1360＋4＝1364
普段から暗算を心がけておくことが必要である。

5　誤り。総数1264の5％を暗算する。10％が126なので、5％はその半分の63、高校生は83なので「5％」を上回っている。

[２００]　正答4
1　誤り。中央値とはデータを小さい順に並べたときに、ちょうど真ん中に位置する値（平均値とは異なる）。従って、A市でみると3214人の真ん中は1607人目と1608人目であり、これらは「2 km 以上〜3 km 未満」に該当する。B市の中央値（824・825人目）についても同様。ところがC市をみると、中央値は452人目と453人目であり、これらは「1 km 以上〜2 km 未満」に該当。よって、「いずれの市も……である」は誤り。
2　誤り。この表からは「5 km 以上」は不明である。
3　誤り。この表では、「4 km 〜」が区分されていないので平均は算出できない。例えば、A市の471人がすべて4 kmの場合もあるし、（極端だが）100 kmの場合もあり得る。その際には、平均が大きく変化することになる。
4　正しい。各市の一番人数が多い箇所をみればよい。

$$A市 \frac{896}{3214} \quad B市 \frac{415}{1648} \quad C市 \frac{231}{904} を比べる。$$

この場合、筆算で割り算するよりも、ある数$\left(25\% = \frac{1}{4}\right)$を「目安」に大小比較すれば暗算でできる。

A市の$\frac{896}{3214}$をみると、$\left(25\% = \frac{1}{4} ならば \frac{約800}{3214} だから\right)$25％よりかなり大きい。

B市の$\frac{415}{1648}$をみると、$\left(25\% = \frac{1}{4} ならば \frac{412}{1648} だから\right)$25％よりやや大きい。

C市の$\frac{231}{904}$をみると、$\left(25\% = \frac{1}{4} ならば \frac{226}{904} だから\right)$25％よりやや大きい。

いずれも25％より大きいが、B市・C市はやや大きいのに対し、A市はかなり大きい。よって、「最も割合が高いのは、A市」が正解。
5　誤り。選択肢4と同様に、「目安」（70％）を使って大小比較すればよい。
例えばA市は、

$$\frac{354 + 896 + 760}{3214} ≒ \frac{350 + 900 + 750}{3200} = \frac{2000}{3200} < 70\%$$

一方C市は、

$$\frac{223 + 231 + 210}{904} ≒ \frac{660}{900} > 70\%$$

よって、「最も高いのは、A市」は誤り。

Ⅳ　数学

Ⅳ－1　二次関数

◇練習の正答

① (1)　$y=a(x-p)^2+q$ の形に変形する。

$$y=x^2-4x+1$$
$$=(x-2)^2-4+1$$
$$=(x-2)^2-3$$

軸　$x=2$

頂点$(2,\ -3)$

$(0,\ 1)$をとおる。

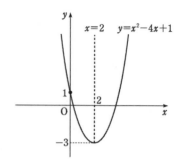

(2)　$y=-2x^2-4x-1$
$$=-2(x^2+2x)-1$$
$$=-2\{(x+1)^2-1\}-1$$
$$=-2(x+1)^2+2-1$$
$$=-2(x+1)^2+1$$

軸　$x=-1$

頂点　$(-1,\ 1)$

$(0,\ -1)$をとおる。

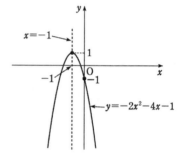

② x の変域に制限があるときは、グラフを書いて考える。
$$y=x^2-4x=(x-2)^2-4$$
よって、この関数のグラフは右図のようになり、
とくに $0\leqq x\leqq3$ においては実線のようになる。
対称軸 $x=2$ は、x の変域の右寄りにある。
よって$x=0$で最大値0　また$x=2$で最小値-4

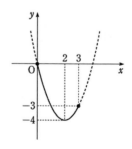

③ (1) $2x^2 - 7x + 3 = 0$

    $(2x-1)(x-3) = 0$ $\therefore x = \dfrac{1}{2},\ 3$

  (2) 解の公式より

$$x = \frac{-(-5) \pm \sqrt{(-5)^2 - 4 \cdot 3 \cdot 1}}{2 \cdot 3} = \frac{5 \pm \sqrt{13}}{6}$$

④ (1) $D = (-3)^2 - 4 \cdot 1 \cdot (-10) = 49 > 0$ $\therefore$ 2点で交わる。

  (2) $D = 1^2 - 4(-6)(-2) = -47 < 0$ $\therefore$ 共有点をもたない。

⑤ y を消去して x の 2 次方程式をつくり、判別式 D の符号を調べればよい。

$$\begin{cases} y = 3x^2 - 2x + 2 \cdots\cdots ① \\ y = 2x + 1 \cdots\cdots ② \end{cases}$$

  ①、②から y を消去して
  $3x^2 - 2x + 2 = 2x + 1$
  $3x^2 - 4x + 1 = 0$
  $D = (-4)^2 - 4 \cdot 3 \cdot 1 = 4 > 0$ よって共有点の個数は 2 個である。

[２０１]　正答4

  B の x 座標は 1 より、$y = ax^2$ の式に代入して y 座標が a となる。

  C の x 座標は $1 + (a-1) = a$ より、$y = \dfrac{1}{4}x^2$ に代入して y 座標は $\dfrac{1}{4}a^2$。

  B と C の y 座標は、等しいので

$$a = \frac{1}{4}a^2$$

$$\frac{1}{4}a^2 - a = 0 \quad a^2 - 4a = 0 \quad a(a-4) = 0$$

$a \neq 0$ より $a = 4$

[２０２]　正答2

  式を変形し頂点の座標を求める。

$y = x^2 + ax + b = \left(x + \dfrac{a}{2}\right)^2 - \dfrac{a^2}{4} + b$ から、頂点の座標は $\left(-\dfrac{a}{2},\ -\dfrac{a^2}{4} + b\right)$ となる。

また、2 点 $(a,\ 0)$, $(b,\ 0)$ を $y = x^2 + ax + b$ に代入して式をまとめる。

$b = -2a^2 \cdots ①$ と $b^2 + b(a+1) = 0 \cdots ②$ となり　①を②に代入すると、

    $4a^4 - 2a^2(a+1) = 0$
    $a^2(2a^2 - a - 1) = 0$
    $a^2(2a+1)(a-1) = 0 \quad a = 0,\ 1,\ -\dfrac{1}{2}$

よって $(a,\ b) = (0,\ 0),\ (1,\ -2),\ \left(-\dfrac{1}{2},\ -\dfrac{1}{2}\right)$ となる。

ここで $a \neq b$ から、$(a,\ b) = (1,\ -2)$ となる。

これを頂点の y 座標に代入すると $-\dfrac{1}{4} + (-2) = -\dfrac{9}{4}$ となる。

[２０３]　正答1

解と係数の関係より$\alpha + \beta = \dfrac{10}{3}$、$\alpha\beta = 1$

$\alpha^2\beta + \alpha\beta^2 = \alpha\beta(\alpha + \beta) = 1 \times \dfrac{10}{3} = \dfrac{10}{3}$ となる。

[２０４]　正答3

$a(x^2 + 1) > 3x$
$a(x^2 + 1) - 3x > 0$
$ax^2 + a - 3x > 0$
$ax^2 - 3x + a > 0$

すべての実数xに対して成り立つので
$y = ax^2 - 3x + a$ のグラフは下に凸で、x軸より上方にあればよい。
つまり、x軸と交わらない。
よって、

$$\begin{cases} a > 0 \cdots\cdots ① \\ D = 9 - 4a^2 < 0 \cdots\cdots ② \end{cases}$$

②より　$4a^2 - 9 > 0$　　$(2a + 3)(2a - 3) > 0$　　$a < -\dfrac{3}{2}$, $a > \dfrac{3}{2}$

①より　$a > 0$ なので　$a > \dfrac{3}{2}$

[２０５]　正答1

$y = x^2 - 4x + \dfrac{a}{2}$ とすると

$y = (x - 2)^2 + \dfrac{a}{2} - 4$

よって、頂点$\left(2, \dfrac{a}{2} - 4\right)$は条件の範囲内にあるので、$x = -1$, 3のときのy座標をマイナスにすればよい。

$x = -1$のとき　$y = 5 + \dfrac{a}{2} < 0$　　$\therefore a < -10$

$x = 3$のとき　$y = \dfrac{a}{2} - 3 < 0$　　$\therefore a < 6$

ゆえに$a < -10$である。

[２０６] 正答5
　　グラフがx軸の点1, 7を通るから、頂点のx座標は4となる。上に凸のグラフで、$0 \leqq x \leqq 6$の範囲において、最大となるのは点$(4, 9)$、最小となるのは点$(0, -7)$のときである。
　　よって、最大値と最小値の和は2となる。

<h1 style="text-align:center">Ⅳ－2　図形と方程式</h1>

◇練習の正答
① 直線の方程式は条件が2つあれば決まる。
　　(1)　傾きが-3より、直線の式は$y = -3x + b$とおける。
　　　　点$(-1, 2)$を通るので、代入すると
　　　　　　$2 = 3 + b$　　　$b = -1$　　　$\therefore y = -3x - 1$

　　(2)　2点$(-1, -4)$, $(2, -1)$を通るから、$y = ax + b$の式に代入してa、bを求める。
$$\begin{cases} -4 = -a + b \\ -1 = 2a + b \end{cases}$$
　　　　この連立方程式を解くと、$a = 1$、$b = -3$　　　$\therefore y = x - 3$

② (1)　$(x+1)^2 + (y-2)^2 = 5^2$と変形できるので
　　　　中心$(-1, 2)$、半径5

　　(2)　$(x+3)^2 + (y-4)^2 = 3^2$と変形できるので
　　　　中心$(-3, 4)$、半径3

[２０７] 正答3
　　まず交点の座標を求める。
$$\begin{cases} x + 2y - 8 = 0 \cdots\cdots ① \\ 5x - 2y - 4 = 0 \cdots\cdots ② \end{cases}$$
①＋②より
　　$6x - 12 = 0$　　　$6x = 12$　　　$x = 2$　　　①に代入して$y = 3$
よって、交点の座標は$(2, 3)$
また、$x - 2y - 2 = 0$に平行より、この式を変形すると
　　$y = \dfrac{1}{2}x - 1$

よって、求める式の傾きは$\dfrac{1}{2}$なので、$y = \dfrac{1}{2}x + b$とおける。

交点の座標$(2, 3)$を代入すると、$b = 2$

ゆえに、$y = \dfrac{1}{2}x + 2$

グラフを書くと右図のようになる。

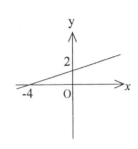

[208] 正答1

$ax+by=1$ を変形すると、$y=-\dfrac{a}{b}x+\dfrac{1}{b}$ となる。

a、b がいずれも正より、傾き $-\dfrac{a}{b}<0$、切片 $\dfrac{1}{b}>0$ ということがわかる。

よって、グラフはアが正答である。

[209] 正答3

求める直線の傾きを m とする。

垂直条件から、$3m=-1$ より $m=-\dfrac{1}{3}$ となる。

よって、求める直線の式は $y-1=-\dfrac{1}{3}(x-2)$ より $x+3y-5=0$ である。

[210] 正答1

2次方程式 $x^2-3x+2=0$ の解は $x^2-3x+2=(x-2)(x-1)=0$ より $x=1,\ 2$ である。

これら2つの解は3次方程式 $x^3+ax^2+bx+4=0$ の解であるから、それぞれ代入してまとめると

$a+b=-5$

$2a+b=-6$ となり、これを解くと

$(a,\ b)=(-1,\ -4)$ となる。

Ⅳ-3　三角比

◇練習の正答

① 右の図で CE $=x$(m)とすると直角三角形
AEC において、

∠A $=30°$、AE $=150$ より

$\sqrt{3}:1=150:x$

$x=\dfrac{150}{\sqrt{3}}=150\times\dfrac{\sqrt{3}}{3}\fallingdotseq 50\times1.732=86.6$

CD $=$ CE $+32=86.6+32=118.6$m

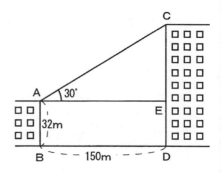

② 3辺から余弦定理を用いる。

$a = 4\sqrt{2}$、$b = 5$、$c = 7$ であるから

$a^2 = b^2 + c^2 - 2bc \cdot \cos A$ より

$$\cos A = \frac{b^2 + c^2 - a^2}{2bc} = \frac{25 + 49 - 32}{70} = \frac{42}{70} = \frac{3}{5}$$

$$\sin A = \sqrt{1 - \cos^2 A} = \sqrt{1 - \frac{9}{25}} = \frac{4}{5}$$

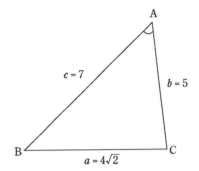

③ 三角形の面積の式より $S = \dfrac{1}{2} \cdot 3 \cdot 4 \cdot \sin 150° = 3$

[211] 正答 4

直角の部分を D とおく。

$\cos\theta = \dfrac{\mathrm{BD}}{\mathrm{AB}} = 0.8$ より、$\dfrac{\mathrm{BD}}{100} = \dfrac{8}{10}$

よって、$\mathrm{BD} = 80\,\mathrm{m}$

△ABD は直角三角形より

$\mathrm{AB}^2 = \mathrm{AD}^2 + \mathrm{BD}^2$

$10000 = \mathrm{AD}^2 + 6400$

$\mathrm{AD}^2 = 3600$

$\mathrm{AD} > 0$ より、$\mathrm{AD} = 60\,\mathrm{m}$

(5:4:3の三角比でも求められる)

また、$\mathrm{CD} = \mathrm{BD} - \mathrm{BC} = 80 - 50 = 30$

AC を求めたいので、△ACD で考える。

△ACD も直角三角形なので、$\mathrm{AC}^2 = \mathrm{AD}^2 + \mathrm{CD}^2$

$\mathrm{AC}^2 = 3600 + 900 = 4500$

$\mathrm{AC} > 0$ より,

$\mathrm{AC} = \sqrt{4500} = 30\sqrt{5} = 30 \times 2.236 = 67.08 \fallingdotseq 67\,\mathrm{m}$

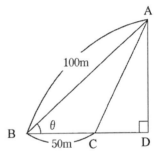

[２１２]　正答2

外接円の半径を R とすると、正弦定理により

$$\frac{3}{\sin 60°} = 2R \text{ となり、これを解くと } R = \frac{3}{2\sin 60°} = \frac{3}{\sqrt{3}} = \sqrt{3} \text{ となる。}$$

[２１３]　正答4

$\sin\theta + \cos\theta = \sin\theta\cos\theta$ の両辺を 2 乗する。

$(\sin\theta + \cos\theta)^2 = \sin^2\theta\cos^2\theta$

$\sin^2\theta + 2\sin\theta\cos\theta + \cos^2\theta = \sin^2\theta\cos^2\theta$

$1 + 2\sin\theta\cos\theta = \sin^2\theta\cos^2\theta$

$\sin^2\theta\cos^2\theta - 2\sin\theta\cos\theta - 1 = 0$

$\sin\theta\cos\theta = t$ とおく。

$t^2 - 2t - 1 = 0$

解の公式で、t を求める。

$t = 1 \pm \sqrt{1+1} = 1 \pm \sqrt{2}$

$-1 \leqq \cos\theta \leqq 1,\quad -1 \leqq \sin\theta \leqq 1$ より

$-1 < \sin\theta\cos\theta < 1$

$1 + \sqrt{2} > 2$ だから $t = 1 + \sqrt{2}$ は不適。

よって、$t = 1 - \sqrt{2}$

[214] 正答4

$\sin A = \dfrac{2\sqrt{5}}{5}$ より、

$\sin^2 A + \cos^2 A = 1$ に代入して、$\cos A$ を求める。

$$\cos^2 A = 1 - \sin^2 A = 1 - \frac{20}{25} = 1 - \frac{4}{5} = \frac{1}{5}$$

$$\cos A = \pm \sqrt{\frac{1}{5}} = \pm \frac{\sqrt{5}}{5}$$

$0° < A < 90°$ より

$\cos A > 0$

よって、$\cos A = \dfrac{\sqrt{5}}{5}$

$\tan A = \dfrac{\sin A}{\cos A}$ より

$$\tan A = \frac{\dfrac{2\sqrt{5}}{5}}{\dfrac{\sqrt{5}}{5}} = \frac{2\sqrt{5}}{\sqrt{5}} = 2$$

下記のサイトに、追補、情報の更新および訂正を掲載しております。
http://koumuin.info/book/shusei.html

いいずな書店